THE ULT
SLOVAK
PHRASE BOOK

1001 SLOVAK PHRASES FOR BEGINNERS AND BEYOND!

BY ADRIAN GEE

ISBN: 979-8-880488-47-6

Author's Note

Welcome to "The Ultimate Slovak Phrase Book" – your key to exploring the rich and vibrant essence of Slovak. Renowned for its rhythmic beauty and expressive warmth, this book is designed to make your dive into the language, from Bratislava's historic allure to the Tatra Mountains' majesty and Slovakia's deep-rooted folklore, as rewarding and enjoyable as possible.

As a passionate linguist and an advocate for immersive cultural experiences, I recognize the intricate ballet involved in embracing a new language. This book is a testament to that recognition, designed to be your steadfast ally on the road to Slovak proficiency.

Connect with Me: The adventure of language learning goes beyond memorizing rules and expanding vocabulary—it's about forging connections, understanding a culture from within, and sharing those revelations with the world. I invite you to join me and our community of language enthusiasts on Instagram: @adriangruszka. It's a space where we celebrate our linguistic journeys, share insights, and inspire one another.

Sharing is Caring: If this book becomes a pivotal part of your language learning voyage, I would be deeply honored by your recommendation to others who share our passion for the intricate beauty of the world's languages. Feel free to share your experiences, breakthroughs, or any Slovak phrases that resonate with you on Instagram, and don't forget to tag me – I look forward to cheering on your achievements!

Embarking on the path to learning Slovak is akin to exploring a landscape rich in culture, tradition, and an unwavering sense of community. Embrace the challenges, rejoice in your progress, and cherish each moment of your journey through the Slovak language.

Veľa šťastia! (Good luck!)

-Adrian Gee

CONTENTS

INTRODUCTION

Vitajte! (Welcome!)

Whether you're fantasizing about a tranquil evening in the rolling hills of the Slovak countryside, preparing to wander through the historical streets of Bratislava, eager to engage with Slovak speakers, or simply drawn to the Slovak language for its charm, this phrase book is crafted to be your reliable companion.

Embarking on your Slovak language adventure opens the door to a world marked by its melodious language, rich traditions, and the warm hospitality emblematic of Slovak culture.

Prečo Slovenský? (Why Slovak?)

With millions speaking it as their mother tongue, Slovak serves not just as the voice of its people but as a bridge to the heart of Central Europe. It's the language of storied castles, verdant mountains, and a vibrant history that interweaves with the fabric of European culture. As the official language of Slovakia, it plays a crucial role for travelers, business professionals, and anyone bewitched by its distinct charm.

Výslovnosť (Pronunciation)

Before we dive into the plethora of phrases and expressions that this book offers, it's vital to get acquainted with the unique cadence of Slovak. Each language has its rhythm, and Slovak is no exception, flowing with a melody that mirrors the landscape and spirit of its people. Initially, the pronunciation may seem challenging, but with persistence, the nuanced sounds and intonations of Slovak can enrich your language learning experience.

Slovak pronunciation is known for its clear vowel sounds and soft consonants, creating a musical flow that's both inviting and expressive. Mastering the pronunciation not only aids in effective communication but also helps in fostering a deeper bond with the Slovak-speaking world.

Slovenská Abeceda (The Slovak Alphabet)

The Slovak alphabet is an extension of the Latin script, comprising 46 characters. It includes several diacritical marks (accents) that modify the base letters, giving them unique sounds which may be unfamiliar to English speakers. Understanding these nuances is crucial for accurate pronunciation and comprehension.

Vokály (Vowels)

A (a): Like the "a" in "father."
E (e): Similar to the "e" in "bet."
I (i): Like the "ee" in "see."
O (o): As in the "o" in "more."
U (u): Similar to the "oo" in "food."
Y (y): Pronounced the same as "i," like the "ee" in "see."

Konsonanty (Consonants)

B (b): As in English "bat."
C (c): Like the "ts" in "cats."
Č (č): Similar to the "ch" in "chocolate."
D (d): Like the "d" in "dog."
Ď (ď): Softened "d," somewhat like "dy" in "dye."
F (f): As in English "far."
G (g): Like the "g" in "go."
H (h): As the "h" in "hat."

Ch (ch): Similar to the Scottish "loch."
J (j): Like the "y" in "yes."
K (k): As in English "kite."
L (l): Like the "l" in "love."
Ľ (ľ): Softened "l," similar to "ly" in "million."
M (m): As in English "mother."
N (n): Like the "n" in "nice."
Ň (ň): Softened "n," somewhat like "ny" in "canyon."
P (p): As in English "pen."
R (r): A rolling "r," stronger than in English.
Ŕ (ŕ): A longer, rolling "r."
S (s): As the "s" in "see."
Š (š): Similar to the "sh" in "shoe."
T (t): Like the "t" in "top."
Ť (ť): Softened "t," similar to "ty" in "tune."
V (v): Like the "v" in "vase."
Z (z): As the "z" in "zebra."
Ž (ž): Similar to the "s" in "pleasure."

Diacritical Marks

TThe Slovak alphabet uses diacritical marks to denote specific sounds, particularly for vowels and some consonants, distinguishing it from other Slavic languages. These marks include the acute accent (´), the caron (ˇ), and the umlaut (¨) for the letter "ä," which is unique in representing a sound similar to the "e" in "bed."

Understanding these nuances in the Slovak alphabet is foundational for mastering pronunciation and engaging effectively in conversation. This guide serves as your starting point to embrace the distinct sounds that form the beautiful complexity of the Slovak language.

Slovak Intonation and Stress Patterns

Slovak's melody stands out in the Slavic family with its smooth flow and clear pronunciation. Stress is usually on the first syllable, making learning and understanding easier for non-native speakers.

Common Pronunciation Challenges

Challenging Vowel Combinations

Like many languages, Slovak features a variety of vowel sounds, some of which may present challenges to English speakers, particularly when vowels combine or when distinguishing between long and short vowel sounds. These distinctions are vital, as they can alter the meaning of words significantly.

Tips for Practicing Pronunciation

1. **Počúvajte Pozorne (Listen Carefully):** Listening to Slovak music, podcasts, and watching films or TV shows is a great way to familiarize yourself with the language's sounds.

2. **Opakujte Po Rodnom Hovoriacom (Repeat After a Native Speaker):** Interacting with native speakers, in person or through language exchange platforms, is crucial for improving pronunciation.

3. **Použite Zrkadlo (Use a Mirror):** Watching your articulation in a mirror can help you adjust your mouth, lips, and tongue to produce accurate Slovak sounds.

4. **Cvičte Pravidelne (Practice Regularly):** Consistency is key to progress. Dedicate a few minutes daily to practice for steady improvement.

5. **Nebojte Sa Chýb (Don't Fear Mistakes):** Mistakes are an essential part of the learning journey, offering valuable lessons towards mastering Slovak.

Mastering Slovak pronunciation requires attention to its rhythmic patterns and the distinct sounds that define the language. From its melodious vowels to the crisp clarity of its consonants, each element of Slovak pronunciation is a step closer to fluency. Embrace these nuances, and let the language's natural rhythm guide your learning. As you practice, you'll find that Slovak opens up a world rich in history, culture, and beauty.

What You'll Find Inside

- **Dôležité Frázy (Essential Phrases):** A collection of key phrases and expressions tailored for various situations you might encounter in Slovak-speaking environments.

- **Interaktívne Cvičenia (Interactive Exercises):** Engaging exercises designed to refine your language skills and promote the practical use of Slovak.

- **Kultúrne Pohľady (Cultural Insights):** Delve into the cultural fabric of Slovak-speaking regions, exploring their traditions, social norms, and historical sites.

- **Ďalšie Zdroje (Additional Resources):** Recommendations for further learning resources, including websites, books, and travel tips to enhance your understanding of the Slovak language and culture.

How to Use This Phrase Book

This phrase book is crafted for both beginners embarking on their Slovak language journey and intermediate learners looking to deepen their understanding. Start with foundational phrases for everyday situations, from simple greetings to navigating Slovak social norms. As your skills grow, explore more complex sentences and idiomatic expressions that bring you closer to the fluency of a native speaker.

You'll find cultural insights that connect you more deeply with Slovakia's rich history and vibrant present. Interactive exercises are integrated to reinforce your learning and help you seamlessly incorporate new vocabulary and grammar into your conversations.

Learning Slovak is more than memorization—it's an engaging pursuit of connection. Dive into Slovak dialogues, savor the nation's literature, and celebrate the traditions that weave the fabric of its culture.

Each learner's journey is unique, with its rhythms and milestones. Approach your studies with patience, enthusiasm, and openness. With dedicated practice, your confidence and competence in Slovak will grow exponentially.

Pripravení začať? (Ready to start?)

Embark on a journey to master the Slovak language and immerse yourself in its culture. Discover the linguistic nuances and cultural richness Slovakia has to offer. This adventure is not only educational but transformative, expanding your horizons and enhancing your global connections.

GREETINGS & INTRODUCTIONS

- BASIC GREETINGS -
- INTRODUCING YOURSELF AND OTHERS -
- EXPRESSING POLITENESS AND FORMALITY -

Basic Greetings

1. Hi!
   Ahoj!
   (Ah-hoy!)

2. Hello!
   Dobrý deň!
   (Dough-bree dyen!)

   > **Idiomatic Expression:** "Piecť z dvoch pecí."
   > Meaning: "To sit on the fence."
   > (Literal Translation: "To bake from two ovens.")

3. Good morning!
   Dobré ráno!
   (Dough-breh rah-no!)

   > **Cultural Insight:** In Slovak culture, hospitality is
   > paramount. Guests are often greeted with bread and salt,
   > symbolizing warmth and friendship.

4. Good afternoon!
   Dobré popoludnie!
   (Dough-breh poh-poh-loo-dnee-eh!)

5. Good evening!
   Dobrý večer!
   (Dough-bree veh-chair!)

6. How are you?
   Ako sa máš?
   (Ah-koh sah mahsh?)

> **Cultural Insight:** Slovakia has a rich tradition of folk music and dance, with each region having its unique costumes and folklore. These traditions are especially alive in rural areas and during folk festivals.

7. Everything good?
   Je všetko v poriadku?
   (Yeh vshet-koh v poh-ree-ahd-koo?)

8. How is it going?
   Ako to ide?
   (Ah-koh toh ee-deh?)

9. How is everything?
   Ako je všetko?
   (Ah-koh yeh vshet-koh?)

10. I'm good, thank you.
    Som dobre, ďakujem.
    (Sohm dough-breh, dyah-koo-yem.)

11. And you?
    A ty?
    (Ah tee?)

12. Let me introduce...
    Dovoľte, aby som predstavil...
    (Dough-vohl-teh, ah-bee sohm prehd-stah-veel...)

13. This is...
    Toto je...
    (Toh-toh yeh...)

11

14. Nice to meet you!
    Teší ma!
    (Teh-shee mah!)

15. Delighted!
    Teší ma! (used for both males and females in Slovak)
    (Teh-shee mah!)

16. How have you been?
    Ako sa máte?
    (Ah-koh sah mah-teh?)

Politeness and Formality

17. Excuse me.
    Prepáčte.
    (Preh-pahch-teh.)

18. Please.
    Prosím.
    (Proh-seem.)

19. Thank you.
    Ďakujem.
    (Dyah-koo-yem.)

> **Fun Fact:** The Tatra Mountains in Slovakia are one of the smallest alpine mountain ranges in the world.

20. Thank you very much!
    Ďakujem veľmi pekne!
    (Dyah-koo-yem vehl-mee pehk-neh!)

21. I'm sorry.
    Je mi ľúto.
    (Yeh mee lyoo-toh.)

22. I apologize.
    Ospravedlňujem sa.
    (Ohs-prah-vehd-nyoo-yem sah.)

23. Sir
    Pán
    (Pahn)

24. Madam
    Pani
    (Pah-nee)

25. Miss
    Slečna
    (Slehch-nah)

26. Your name, please?
    Vaše meno, prosím?
    (Vah-sheh meh-noh, proh-seem?)

27. Can I help you with anything?
    Môžem vám s niečím pomôcť?
    (Moh-zhem vahm s nyeh-cheem poh-mohtch?)

28. I am thankful for your help.
    Som vďačný za vašu pomoc.
    (Sohm vduhch-nee zah vah-shoo poh-mohts.)

29. The pleasure is mine.
    Potešenie je na mojej strane.
    (Po-teh-sheh-nyeh yeh nah moh-yey strah-neh.)

30. Thank you for your hospitality.
    Ďakujem za vašu pohostinnosť.
    (Dyah-koo-yem zah vah-shoo poh-hos-tee-nosht.)

31. It's nice to see you again.
    Teší ma, že ťa znova vidím.
    (Teh-shee mah zhuh tah znoh-vah vee-deem.)

Greetings for Different Times of Day

32. Good morning, my friend!
    Dobré ráno, môj priateľ!
    (Doh-breh rah-noh, mooy pree-ah-tyel!)

33. Good afternoon, colleague!
    Dobré popoludnie, kolega!
    (Doh-breh poh-poh-loo-dnee-eh, koh-leh-gah!)

34. Good evening neighbor!
    Dobrý večer, sused!
    (Doh-bree veh-cher, soo-sed!)

35. Have a good night!
    Peknú noc!
    (Peh-knoo nots!)

36. Sleep well!
    Spite dobre!
    (Spee-teh doh-breh!)

Special Occasions

37. Happy birthday!
Všetko najlepšie k narodeninám!
(Vsheht-koh nai-lep-shee-eh k nah-roh-deh-neen-ahm!)

38. Merry Christmas!
Veselé Vianoce!
(Veh-seh-leh Vyah-noh-tseh)

39. Happy Easter!
Veselú Veľkú noc!
(Veh-seh-loo Vel-koo nots!)

> **Travel Story:** In the heart of Bratislava's Old Town, a local whispered, "Každá ulička má svoj príbeh," meaning "Every alley has its story," highlighting the rich history of each cobblestone path.

40. Happy holidays!
Veselé sviatky!
(Veh-seh-leh svee-ah-tkee!)

41. Happy New Year!
Šťastný Nový Rok!
(Shtah-stnee No-vee Rok!)

> **Idiomatic Expression:** "Piesť do piesku."
> Meaning: "To ignore problems."
> (Literal Translation: "To stick into sand.")

Meeting Someone for the First Time

42. Pleasure to meet you.
    Teší ma, že som vás spoznal.
    (Teh-shee mah, zheh sohm vahs spoz-nahl.)

> **Language Learning Tip:** Start with Basics - Focus on
> essential vocabulary and phrases to build a solid
> foundation.

43. I am [Your Name].
    Som [Vaše Meno].
    (Sohm [Vah-sheh Meh-noh].)

44. Where are you from?
    Odkiaľ ste?
    (Odk-yahl steh?)

> **Language Learning Tip:** Practice Daily - Consistency is
> key. Even a few minutes each day can make a big
> difference.

45. I'm on vacation.
    Som na dovolenke.
    (Sohm nah doh-voh-lehn-keh.)

46. What is your profession?
    Aké je vaše povolanie?
    (Ah-keh yeh vah-sheh poh-voh-lah-nee-eh?)

47. How long will you stay here?
    Ako dlho tu budete?
    (Ah-koh dlhoh too boo-deh-teh?)

Responding to Greetings

48. Hello, how have you been?
    Ahoj, ako sa máš?
    (Ah-hoy, ah-koh sah mahsh?)

> **Cultural Insight:** Reward Yourself - Set rewards for reaching your language learning goals.

49. I've been very busy lately.
    V poslednej dobe som bol veľmi zaneprázdnený.
    (V poh-sled-neh-y doh-beh sohm bohl vehl-mee zah-neh-prahz-dneh-nee.)

50. I've had ups and downs.
    Mal som svoje vzostupy a pády.
    (Mahl sohm svo-yeh vzoh-stoo-pee ah pah-dee.)

> **Idiomatic Expression:** "Zaťať zuby."
> Meaning: "To grit one's teeth."
> (Literal Translation: "To clench teeth.")

51. Thanks for asking.
    Ďakujem, že ste sa opýtali.
    (Dyah-koo-yehm, zheh steh sah oh-pih-tah-lee.)

52. I feel great.
    Cítim sa skvele.
    (Tsee-teem sah skveh-leh.)

53. Life has been good.
    Život bol dobrý.
    (Zhee-vot bol doh-bree.)

54. I can't complain.
    Nemôžem sa sťažovať.
    (Neh-muh-zhem sah shtah-zoh-vah-t'.)

55. And you, how are you?
    A ty, ako sa máš?
    (Ah tee, ah-koh sah mahsh?)

> **Language Learning Tip:** Use Flashcards - They're great for memorizing vocabulary and phrases.

56. I've had some challenges.
    Mali sme nejaké výzvy.
    (Mah-lee smeh neh-yah-keh veez-vee.)

57. Life is a journey.
    Život je cesta.
    (Zhee-vot yeh tseh-stah.)

58. Thank God, I'm fine.
    Vďaka Bohu, som v poriadku.
    (Vdya-kah Boh-hoo, sohm v poh-ree-ah-dkoo.)

Informal Greetings

59. What's up?
Čo je nové?
(Tcho yeh noh-veh?)

60. All good?
Všetko v poriadku?
(Vsheht-koh v poh-ree-ah-dkoo?)

61. Hi, everything okay?
Ahoj, je všetko v poriadku?
(Ah-hoy, yeh vshet-koh v poh-ree-ah-dkoo?)

62. I'm good, and you?
Som dobre, a ty?
(Sohm doh-breh, ah tee?)

63. How's life?
Ako sa máš?
(Ah-koh sah mahsh?)

64. Cool!
Super!
(Soo-pehr!)

Saying Goodbye

65. Goodbye!
Zbohom!
(Zboh-hohm!)

66. See you later!
Uvidíme sa neskôr!
(Oo-vee-dee-meh sah neh-skohr!)

> **Language Learning Tip:** Label Your Environment - Put labels on everyday objects in your home in Slovak.

67. Bye!
Zbohom!
(Zboh-hohm!)

68. Have a good day.
Majte pekný deň.
(My-teh peh-nee dyen.)

> **Language Learning Tip:** Listen to Slovak Music - It's an enjoyable way to immerse yourself in the language and culture.

69. Have a good weekend.
Majte pekný víkend.
(My-teh peh-nee vee-kend.)

70. Take care.
Dávajte na seba pozor.
(Dah-vay-teh nah seh-bah poh-zor.)

71. Bye, see you later.
Zbohom, uvidíme sa neskôr.
(Zboh-hohm, oo-vee-dee-meh sah neh-skohr.)

72. I need to go now.
Teraz musím ísť.
(Teh-raz moo-seem eest.)

73. Take care my friend!
Dávaj na seba pozor, môj priateľ!
(Dah-vai nah seh-bah poh-zor, mooy pree-ah-tyel!)

Parting Words

74. Hope to see you soon.
Dúfam, že ťa skoro uvidím.
(Doo-fahm, zheh chah skoh-roh oo-vee-deem.)

75. Stay in touch.
Zostaňme v kontakte.
(Zoh-stahn-meh v kohn-tahk-teh.)

76. I'll miss you.
Budeš mi chýbať.
(Boo-desh mee khy-baht.)

77. Be well.
Buď dobre.
(Bood doh-breh.)

"Láska ide cez žalúdok."
"Love goes through the stomach."
*Cooking for someone or sharing a meal is
a way to show love and care.*

21

Interactive Challenge: Greetings Quiz

1. **How do you say "good morning" in Slovak?**

   a) Čo robíš?
   b) Dobré ráno!
   c) Ako sa máš?

2. **What does the Slovak phrase "Teší ma, že ťa vidím" mean in English?**

   a) Excuse me!
   b) Pleased to meet you!
   c) What's your name?

3. **When is it appropriate to use the phrase "Dobrý večer!" in Slovak?**

   a) In the morning
   b) In the afternoon
   c) In the evening

4. **Which phrase is used to ask someone how they are doing in Slovak?**

   a) Ďakujem
   b) Ako sa máš?
   c) Kam ideš?

5. **In Slovakia, when can you use the greeting "Ahoj!"?**

   a) Only in the morning
   b) Only in the afternoon
   c) Anytime

6. **What is the Slovak equivalent of "And you?"?**

    a) A ty?
    b) Ďakujem
    c) Čo je nové?

7. **When expressing gratitude in Slovak, what do you say?**

    a) Prepáč
    b) Teší ma, že ťa vidím
    c) Ďakujem

8. **How do you say "Excuse me" in Slovak?**

    a) Prepáč
    b) Dobrý deň!
    c) Všetko je v poriadku?

9. **Which phrase is used to inquire about someone's well-being?**

    a) Kde bývaš?
    b) Ako sa máš?
    c) Ďakujem

10. **In a typical Slovak conversation, when is it common to ask about someone's background and interests during a first-time meeting?**

    a) Never
    b) Only in formal situations
    c) Always

11. In Slovak, what does "Teší ma, že ťa spoznávam" mean?

    a) Delighted to meet you
    b) Excuse me
    c) Thank you

12. When should you use the phrase "Ako sa máš?"?

    a) When ordering food
    b) When asking for directions
    c) When inquiring about someone's well-being

13. Which phrase is used to make requests politely?

    a) Ako sa máš?
    b) Čo si praješ?
    c) Prosím

14. What is the equivalent of "I'm sorry" in Slovak?

    a) Je mi ľúto
    b) Ako sa máš?
    c) Všetko je v poriadku?

Correct Answers:

1. b)
2. b)
3. c)
4. b)
5. c)
6. a)
7. c)
8. a)
9. b)
10. c)
11. a)
12. c)
13. c)
14. a)

EATING & DINING

- ORDERING FOOD AND DRINKS IN A RESTAURANT -
- DIETARY PREFERENCES AND RESTRICTIONS -
- COMPLIMENTS AND COMPLAINTS ABOUT FOOD -

Basic Ordering

78. I'd like a table for two, please.
Rád by som stôl pre dvoch, prosím.
(Rahd by sohm shtôl preh dvokh, proh-seem.)

79. What's the special of the day?
Aké je dnešné špeciálne menu?
(Ah-keh yeh dneh-shneh shpeh-tsyahl-neh meh-noo?)

> **Cultural Insight:** Slovakia is rich in thermal springs, and visiting spas is a beloved activity for health and relaxation, with Piešťany being one of the most famous spa towns.

80. Can I see the menu, please?
Môžem vidieť menu, prosím?
(Moh-zhehm vee-dyet' meh-noo, proh-seem?)

81. I'll have the steak, medium rare.
Dám si steak, stredne prepečený.
(Dahm see shteh-ahk, stred-neh preh-peh-cheh-nee.)

82. Can I get a glass of water?
Môžem dostať pohár vody, prosím?
(Moh-zhehm dohs-taht' poh-hahr voh-dee, proh-seem?)

> **Travel Story:** Atop the High Tatras, a mountaineer exclaimed, "Tu sa dotýkaš oblohy," translating to "Here, you touch the sky," emphasizing the breathtaking heights and natural beauty of Slovakia's mountains.

83. Can you bring us some bread to start?
Môžete nám priniesť trochu chleba na začiatok?
(Moh-zheh-teh nahm pree-nyest' troh-khoo khleh-bah nah zah-chyah-tohk?)

84. Do you have a vegetarian option?
Máte vegetariánsku možnosť?
(Mah-teh veh-geh-tee-ahn-skoo mohzh-nosht'?)

> **Language Learning Tip:** Watch Slovak Films and TV Shows - With subtitles at first, then challenge yourself without them.

85. Is there a kids' menu available?
Máte detské menu?
(Mah-teh deht-skeh meh-noo?)

86. We'd like to order appetizers to share.
Radi by sme objednali predjedlá na zdieľanie.
(Rah-dee bee smeh oh-byeh-dnah-lee preh-dyeh-dlah nah zdye-lyah-nyeh.)

87. Can we have separate checks, please?
Môžeme mať rozdielne účty, prosím?
(Moh-zheh-meh maht' roz-dee-el-neh ooch-tee, proh-seem?)

88. Could you recommend a vegetarian dish?
Môžete odporučiť vegetariánske jedlo?
(Moh-zheh-teh od-poh-roo-cheet' veh-geh-tee-ahn-skeh yehd-loh?)

89. I'd like to try the local cuisine.
Rád by som vyskúšal miestnu kuchyňu.
(Rahd bee sohm vee-skooshahl myest-noo koo-khy-nyoo.)

90. May I have a refill on my drink, please?
Môžem dostať doplnenie môjho nápoja, prosím?
(Moh-zhem dohs-taht' doh-plne-nyeh moh-jhoh nah-poh-yah, proh-seem?)

91. What's the chef's special today?
Aké je dnes špeciality od šéfkuchára?
(Ah-keh yeh dnehsh shpeh-tsee-ah-lee-tee oht shehf-koo-hah-rah?)

92. Can you make it extra spicy?
Môžete to urobiť extra pikantné?
(Moh-zheh-teh toh oo-roh-beet' ehk-strah pee-kahnt-nyeh?)

93. I'll have the chef's tasting menu.
Zoberiem si degustačné menu od šéfkuchára.
(Zoh-bye-ryehm see deh-goos-tach-neh meh-noo oht shehf-koo-hah-rah.)

Special Requests

94. I'm allergic to nuts. Is this dish nut-free?
Som alergický na oriešky. Je toto jedlo bez orieškov?
(Sohm ah-lehr-gih-kee nah oh-ree-shkee. Yeh toh-toh yehd-loh behz oh-ree-shkohv?)

95. I'm on a gluten-free diet. What can I have?
Dodržiavam bezlepkovú diétu. Čo môžem mať?
(Doh-drzh-yah-vahm behz-lehp-koh-voo dyeh-too. Tchoh moh-zhem maht?)

96. Can you make it less spicy, please?
    Môžete to urobiť menej pikantné, prosím?
    *(Moh-zheh-teh toh oo-roh-beet' meh-nehj pee-kahnt-nyeh,
    proh-seem?)*

> **Idiomatic Expression:** "Skákať z kože."
> Meaning: "To be extremely excited."
> (Literal translation: "To jump out of the skin.")

97. Can you recommend a local specialty?
    Môžete odporučiť miestnu špecialitu?
    (Moh-zheh-teh od-poh-roo-cheet' myest-noo shpeh-tsee-ah-lee-too?)

98. Could I have my salad without onions?
    Môžem mať svoj šalát bez cibule, prosím?
    (Moh-zhem maht' svo-yoh shah-laht behz tsee-boo-leh, proh-seem?)

99. Are there any daily specials?
    Máte nejaké denné špeciality?
    (Mah-teh neh-yah-keh dehn-neh shpeh-tsee-ah-lee-tee?)

> **Fun Fact:** The Slovak anthem's lyrics were written by
> Janko Matúška during the 19th-century national revival.

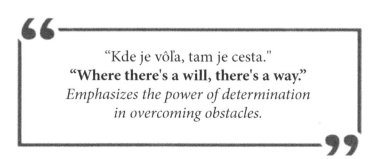

"Kde je vôľa, tam je cesta."
"Where there's a will, there's a way."
*Emphasizes the power of determination
in overcoming obstacles.*

100.   Can I get a side of extra sauce?
        Môžem dostať extra omáčku?
        (Moh-zhem dohs-taht' ek-stra oh-mahch-koo?)

101.   I'd like a glass of red/white wine, please.
        Poprosím pohár červeného/bieleho vína.
        *(Poh-proh-seem poh-hahr cher-veh-neh-hoh/bee-leh-hoh
        vee-nah.)*

102.   Could you bring the bill, please?
        Môžete mi, prosím, priniesť účet?
        (Moh-zheh-teh mee proh-seem pree-nyesht' oo-cheht?)

Allergies and Intolerances

103.   I have a dairy allergy. Is the sauce dairy-free?
        Som alergický na mliečne výrobky. Je tá omáčka bez mlieka?
        *(Sohm ah-lehr-gih-kee nah mlee-ech-neh vee-rohb-kee. Yeh tah
        oh-mahch-kah behz mlee-eh-kah?)*

104.   Does this contain any seafood? I have an allergy.
        Obsahuje toto morské plody? Som alergický.
        *(Ob-sah-hoo-yeh toh-toh mohr-skeh ploh-dih? Sohm
        ah-lehr-gih-kee.)*

105.   I can't eat anything with soy. Is that an issue?
        Nemôžem jesť nič so sójou. Je to problém?
        (Neh-moh-zhem yesht' neech soh soh-yoh. Yeh toh proh-blem?)

106. I'm lactose intolerant, so no dairy, please.
Som intolerantný na laktózu, takže prosím, bez mliečnych výrobkov.
(Sohm een-toh-lehr-ahn-tnyee nah lahk-toh-zoo, tak-zheh proh-seem, behz mlee-ech-neh vee-rohb-kov.)

107. Is there an option for those with nut allergies?
Existuje možnosť pre ľudí s alergiou na orechy?
(Eks-ees-too-yeh mohzh-nost' preh lyoo-dee s ah-lehr-gee-ou nah oh-reh-khi?)

108. I'm following a vegan diet. Is that possible?
Dodržiavam vegánsku diétu. Je to možné?
(Doh-drzhee-ah-vahm veh-gahn-skoo dee-eh-too. Yeh toh mohzh-neh?)

> **Fun Fact:** The Goral people, an ethnographic group, reside in the north of Slovakia, known for their distinctive culture and dialect.

109. Is this dish suitable for someone with allergies?
Je toto jedlo vhodné pre niekoho s alergiami?
(Yeh toh-toh yehd-loh vho-dneh preh knee-eh-koh-hoh s ah-lehr-gee-ah-mee?)

110. I'm trying to avoid dairy. Any dairy-free options?
Snažím sa vyhýbať mliečnym výrobkom. Sú nejaké možnosti bez mlieka?
(Snah-zheem sah vee-hih-baht' mlee-ech-neh vee-rohb-kohm. Soo neh-yah-keh mohzh-nost-ee behz mlee-eh-kah?)

111. I have a shellfish allergy. Is it safe to order seafood?
Mám alergiu na mäkkýše. Je bezpečné objednať si morské plody?
(Mahm ah-lehr-gee-oo nah meh-kee-sheh. Yeh behz-pech-neh ob-yeh-dnaht' see mohr-skeh ploh-dih?)

112.   Can you make this gluten-free?
Môžete to urobiť bezlepkové?
(Moh-zheh-teh toh oo-roh-beet' behz-lep-koh-veh?)

Specific Dietary Requests

113.   I prefer my food without cilantro.
Preferujem svoje jedlo bez koriandra.
(Preh-feh-roo-yem svo-yeh yed-loh behz koh-ree-ahn-drah.)

114.   Could I have the dressing on the side?
Môžem mať dresing na strane?
(Moh-zhem maht' dreh-sing nah strah-neh?)

115.   Can you make it vegan-friendly?
Môžete to pripraviť vegánsky?
(Moh-zheh-teh toh pree-prah-veet' veh-gahn-skee?)

116.   I'd like extra vegetables with my main course.
Chcel by som extra zeleninu k hlavnému chodu.
(Kh-tsel bee sohm ek-stra zeh-leh-nee-noo k hlav-neh-moo kho-doo.)

117.   Is this suitable for someone on a keto diet?
Je to vhodné pre niekoho na keto diéte?
(Yeh toh vho-dneh preh knee-eh-koh-hoh nah keh-toh dye-eh-teh?)

118. I prefer my food with less oil, please.
    Preferujem svoje jedlo s menej oleja, prosím.
    (Preh-feh-roo-yem svo-yeh yed-loh s meh-ney oh-ley-ah, proh-seem.)

119. Is this dish suitable for vegetarians?
    Je toto jedlo vhodné pre vegetariánov?
    (Yeh toh-toh yed-loh vho-dneh preh veh-geh-tah-ree-ah-nov?)

120. I'm on a low-carb diet. What would you recommend?
    Som na diéte s nízkym obsahom sacharidov. Čo by ste odporučili?
    (Sohm nah dye-eh-teh s neez-keem ob-sah-hom sah-hah-ree-dov. Tsoh bee steh od-poh-roo-chee-lee?)

> **Fun Fact:** Slovakia became an independent nation on January 1, 1993, when Czechoslovakia split into the Czech Republic and Slovakia.

121. Is the bread here gluten-free?
    Je tu chlieb bezlepkový?
    (Yeh too khlee-eb behz-lep-koh-vee?)

122. I'm watching my sugar intake. Any sugar-free desserts?
    Dávam si pozor na príjem cukru. Máte cukor-free dezerty?
    (Dah-vahm see poh-zor nah pree-yehm tsoo-kroo. Mah-teh tsoo-kor-free deh-zehr-tee?)

> **Travel Story:** In the cozy streets of Košice, a street artist described his art as "farby života," meaning "colors of life," showcasing the vibrant culture and spirit of the city.

Compliments

123. This meal is delicious!
Toto jedlo je chutné!
(Toh-toh yed-loh yeh khooh-tnay!)

>   **Fun Fact:** Slovak is part of the West Slavic language group, closely related to Czech, Polish, and Sorbian.

124. The flavors in this dish are amazing.
Chute v tomto jedle sú úžasné.
(Khoo-teh v toh-mtoh yed-leh soo oo-zah-sneh.)

125. I love the presentation of the food.
Milujem prezentáciu jedla.
(Mee-loo-yehm preh-zehn-tah-tsee-oo yed-lah.)

126. This dessert is outstanding!
Tento dezert je vynikajúci!
(Ten-toh deh-zehrt yeh vee-nee-kah-yoo-tsee!)

127. The service here is exceptional.
Obsluha tu je výnimočná.
(Ob-sloo-hah too yeh vee-nee-mohch-nah.)

>   **Language Learning Tip:** Keep a Vocabulary Notebook - Write down new words and review them regularly.

128. The chef deserves praise for this dish.
Šéfkuchár si zaslúži pochvalu za toto jedlo.
(Shehf-koo-khahr see zah-sloo-zhee poh-khva-loo zah toh-toh yed-loh.)

129. I'm impressed by the quality of the ingredients.
Som ohromený kvalitou surovín.
(Sohm oh-roh-meh-nee kvah-lee-toh soo-roh-veen.)

130. The atmosphere in this restaurant is wonderful.
Atmosféra v tejto reštaurácii je úžasná.
(At-mohs-fay-rah v tay-toh reh-shtow-rah-tsee yeh oo-zah-snah.)

131. Everything we ordered was perfect.
Všetko, čo sme objednali, bolo dokonalé.
(Vsheht-koh, choh smeh ob-yeh-dnah-lee, boh-loh doh-koh-nah-leh.)

Complaints

132. The food is cold. Can you reheat it?
Jedlo je studené. Môžete ho zohriať?
(Yed-loh yeh stoo-deh-neh. Moh-zheh-teh hoh zoh-hree-ah't?)

> **Fun Fact:** The Slovak National Uprising in 1944 was one of the largest anti-Nazi resistances during WWII.

133. This dish is too spicy for me.
Toto jedlo je pre mňa príliš pikantné.
(Toh-toh yed-loh yeh preh mn-ya pree-leesh pee-kan-tnay.)

134. The portion size is quite small.
Veľkosť porcie je celkom malá.
(Vehl-kohs-t por-tsee yeh tsel-kohm mah-lah.)

135. There's a hair in my food.
V mojom jedle je vlas.
(V moh-yohm yed-leh yeh vlahs.)

136. I'm not satisfied with the service.
Nie som spokojný/á so službou.
(Nee som spoh-koh-ynee/ah soh sloozh-boh.)

137. The soup is lukewarm.
Polievka je vlažná.
(Poh-lee-ev-kah yeh vlahzh-nah.)

138. The sauce on this dish is too salty.
Omáčka na tomto jedle je príliš slaná.
(Oh-mahch-kah nah toh-mtoh yed-leh yeh pree-leesh slah-nah.)

> **Idiomatic Expression:** "Bývať v sedmom nebi."
> Meaning: "To be extremely happy."
> (Literal translation: "To live in seventh heaven.")

139. The dessert was a bit disappointing.
Dezert bol trochu sklamaním.
(Deh-zehrt bohl troh-khoo skl-ah-mah-neem.)

140. I ordered this dish, but you brought me something else.
Objednal/a som toto jedlo, ale priniesli ste mi niečo iné.
(Ob-yehd-nahl/ah som toh-toh yed-loh, ah-leh pree-nee-slee steh mee knee-eh-cho ee-neh.)

141. The food took a long time to arrive.
Jedlo trvalo dlho, kým prišlo.
(Yehd-loh trvah-loh dlhoh, keem pree-shloh.)

Specific Dish Feedback

142. The steak is overcooked.
      Steak je prepečený.
      (Shtehk yeh preh-peh-chen-ee.)

> **Fun Fact:** The word "Slovak" comes from the Slovak word "Slovák," which originally meant "Slav" or "Slavic person."

143. This pasta is undercooked.
      Táto cestovina je nedostatočne uvarená.
      (Tah-toh tseh-stoh-vee-nah yeh neh-doh-stah-tohch-neh oo-vah-reh-nah.)

144. The fish tastes off. Is it fresh?
      Ryba má zvláštnu chuť. Je čerstvá?
      (Rih-bah mah zvlahsh-tnoo khooht'. Yeh cher-stvah?)

145. The salad dressing is too sweet.
      Dresing na šaláte je príliš sladký.
      (Drehs-ing nah shah-lah-teh yeh pree-leesh slahd-kee.)

146. The rice is underseasoned.
      Ryža je málo ochutená.
      (Rih-zhah yeh mah-loh oh-khoo-teh-nah.)

> **Language Learning Tip:** Practice Speaking - Use platforms like iTalki or Tandem to practice with native speakers.

147. The dessert lacks flavor.
      Dezertu chýba chuť.
      (Deh-zehr-too khy-bah khooht'.)

148.   The vegetables are overcooked.
        Zelenina je prevariť.
        (Zeh-leh-nee-nah yeh preh-vah-reech.)

149.   The pizza crust is burnt.
        Okraj pizze je spálený.
        (Ok-ry pee-zeh yeh spah-leh-nee.)

> **Travel Story:** While exploring the ruins of Spiš Castle, a guide mentioned, "Tieto múry ožívajú históriou," which translates to "These walls come alive with history," capturing the essence of Slovakia's medieval past.

150.   The burger is dry.
        Burger je suchý.
        (Boor-gher yeh soo-khi.)

151.   The fries are too greasy.
        Hranolky sú príliš mastné.
        (Hrah-nohl-kee soo pree-leesh mahst-neh.)

152.   The soup is too watery.
        Polievka je príliš vodnatá.
        (Poh-lee-ev-kah yeh pree-leesh vohd-nah-tah.)

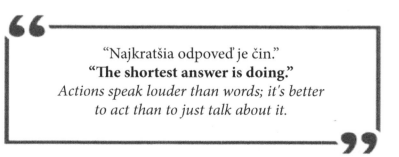

"Najkratšia odpoveď je čin."
"The shortest answer is doing."
Actions speak louder than words; it's better to act than to just talk about it.

Word Search Puzzle: Eating & Dining

RESTAURANT
REŠTAURÁCIA
MENU
MENU
APPETIZER
PREDJEDLO
VEGETARIAN
VEGETARIÁNSKY
ALLERGY
ALERGIA
VEGAN
VEGÁNSKY
SPECIAL
ŠPECIÁLNY
DESSERT
DEZERT
SERVICE
OBSLUHA
CHEF
ŠÉFKUCHÁR
INGREDIENTS
INGREDIENCIE
ATMOSPHERE
ATMOSFÉRA
PERFECT
DOKONALÝ

```
S  S  R  Å  H  C  U  K  F  É  Š  O  R  E  G
V  E  T  E  V  K  Q  B  R  K  U  L  E  G  O
A  H  R  N  S  R  H  G  L  V  E  D  Š  O  R
M  T  G  V  E  T  D  B  U  E  M  E  T  B  Z
W  W  M  D  I  I  A  M  W  E  Z  J  A  S  I
Y  D  P  O  A  C  D  U  R  X  L  D  U  L  U
A  H  Z  I  S  N  E  E  R  B  K  E  R  U  B
U  N  E  M  U  F  H  X  R  A  W  R  Å  H  C
A  W  C  T  L  P  É  R  T  G  N  P  C  A  T
J  W  C  N  S  A  M  R  B  D  N  T  I  M  U
R  C  B  O  A  C  I  F  A  Z  H  I  A  M  A
I  E  M  D  T  V  H  C  A  N  K  H  E  Y  L
J  T  Z  O  D  D  E  Z  E  R  T  N  J  N  E
A  A  I  I  B  N  M  A  M  P  U  F  U  L  R
V  E  G  E  T  A  R  I  Å  N  S  K  Y  Å  G
O  I  N  C  J  E  J  N  V  P  P  V  O  I  I
L  C  D  X  X  A  P  U  Y  D  E  V  O  C  A
O  N  Y  S  S  D  E  P  O  G  R  S  B  E  L
L  E  L  M  N  Q  R  K  A  N  F  J  R  P  Y
X  I  O  L  H  B  O  W  A  C  E  Q  M  Š  G
U  D  V  H  S  N  D  I  A  I  C  X  X  P  J
C  E  P  O  A  S  R  D  P  L  T  G  V  D  J
W  R  Z  L  X  A  G  C  Q  L  L  L  S  A  C
B  G  Ý  X  T  V  W  J  L  F  W  E  T  A  I
C  N  N  E  E  R  O  S  N  W  I  R  R  A  P
R  I  G  G  Y  K  S  N  Á  G  E  V  M  G  P
F  E  A  O  J  C  P  A  Q  S  J  U  C  G  Y
V  N  B  E  H  W  Z  A  S  W  N  K  U  E  Y
H  O  M  E  A  R  O  E  M  Y  Q  N  S  D  U
I  Z  F  H  N  U  D  S  Q  O  S  M  C  H  C
```

Correct Answers:

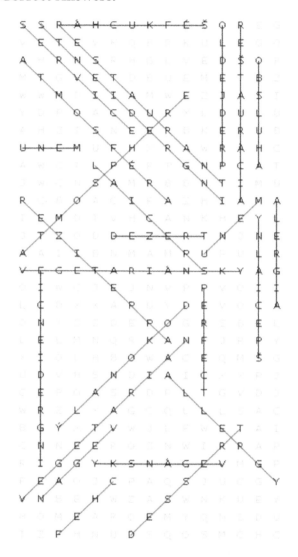

TRAVEL & TRANSPORTATION

- ASKING FOR DIRECTIONS -
- BUYING TICKETS FOR TRANSPORTATION -
- INQUIRING ABOUT TRAVEL-RELATED INFORMATION -

Directions

153. How do I get to the nearest bus stop?
Ako sa dostanem k najbližšej autobusovej zastávke?
*(Ah-koh sah doh-stah-nem k nigh-bleezh-shey
ow-toh-boo-soh-veh zah-stahv-keh?)*

> **Fun Fact:** There are over 5 million people who speak
> Slovak worldwide.

154. Can you show me the way to the train station?
Môžete mi ukázať cestu na železničnú stanicu?
*(Moh-zheh-teh mee oo-kah-zhaht' tseh-stoo nah
zheh-lez-neech-noo stah-neet-soo?)*

155. Is there a map of the city center?
Je tu mapa centra mesta?
(Yeh too mah-pah tsehn-trah meh-stah?)

156. Which street leads to the airport?
Ktorá ulica vedie na letisko?
(Ktoh-rah oo-lee-tsah veh-dyeh nah leh-tees-koh?)

157. Where is the nearest taxi stand?
Kde je najbližšia taxíková stojiska?
(Kdeh yeh nigh-bleezh-shee-ah tahk-see-koh-vah stoy-ees-kah?)

> **Travel Story:** In a traditional Slovak pub, a toast was
> made with "Na zdravie!" meaning "Cheers!" celebrating
> the country's rich tradition of brewing and distilling.

158. How can I find the hotel from here?
      Ako môžem nájsť hotel odtiaľto?
      (Ah-koh moh-zhem nighsht' hoh-tehl oht-tyahl-toh?)

> **Fun Fact:** The High Tatras in Slovakia are home to the endangered Tatra chamois, a species of goat-antelope.

159. What's the quickest route to the museum?
      Aká je najrýchlejšia trasa do múzea?
      (Ah-kah yeh nigh-reekh-le-yshyah trah-sah doh moo-zeh-ah?)

160. Is there a pedestrian path to the beach?
      Existuje pešia cesta na pláž?
      (Ehk-zee-stoo-yeh peh-shyah tseh-stah nah plahzh?)

161. Can you point me towards the city square?
      Môžete mi ukázať smer k námestiu?
      (Moh-zheh-teh mee oo-kah-zhaht' smehr k nah-meh-styoo?)

> **Idiomatic Expression:** "Pustiť sa po hlave."
> Meaning: "To dive in headfirst."
> (Literal translation: "To let oneself go by the head.")

162. How do I find the trailhead for the hiking trail?
      Ako nájdem začiatok turistickej trasy?
      (Ah-koh nigh-dem zah-chyah-tohk too-ree-steek-ehy trah-sih?)

> **Fun Fact:** "Slovakia" and "Slovenia" are often confused, but they are distinct countries with their own languages and histories.

Ticket Purchase

163. How much is a one-way ticket to downtown?
   Koľko stojí jednosmerný lístok do centra?
   (Kohl-koh stoh-yee yehd-noh-sme-rnee lee-stok doh tsehn-trah?)

164. Are there any discounts for students?
   Existujú nejaké zľavy pre študentov?
   (Ehk-zee-stoo-yoo neh-yah-keh zl'ah-vih preh shtoo-dehn-tohv?)

   > **Language Learning Tip:** Focus on Pronunciation -
   > Slovak has specific sounds that may be challenging;
   > practice them diligently.

165. What's the price of a monthly bus pass?
   Koľko stojí mesačná autobusová predplatná karta?
   (Kohl-koh stoh-yee meh-sahch-nah ow-toh-boo-soh-vah prehd-plaht-nah kar-tah?)

166. Can I buy a metro ticket for a week?
   Môžem kúpiť týždenný lístok na metro?
   (Moh-zhem koo-peet' tee-zh-dehn-nee lee-stok nah meh-troh?)

167. How do I get a refund for a canceled flight?
   Ako získam vrátenie za zrušený let?
   (Ah-koh zee-skaam vrah-teh-nyeh zah zroo-sheh-nee leht?)

   > **Fun Fact:** Bratislava, the capital of Slovakia, is the only
   > national capital that borders two countries – Austria and
   > Hungary.

168. Is it cheaper to purchase tickets online or at the station?
Je lacnejšie kúpiť lístky online alebo na stanici?
(Yeh lahts-neh-yeh koo-peet' leest-kee ohn-line ah-leh-boh nah stah-nee-tsee?)

169. Can I upgrade my bus ticket to first class?
Môžem povýšiť môj autobusový lístok na prvú triedu?
(Moh-zhem poh-vee-sheech moj ow-toh-boo-soh-vee lee-stok nah prvoo tree-eh-doo?)

170. Are there any promotions for weekend train travel?
Sú nejaké akcie na víkendové cestovanie vlakom?
(Soo neh-yah-keh ahk-tsee-eh nah vee-kehnd-oh-veh tsehs-toh-vah-nyeh vlah-kohm?)

171. Is there a night bus to the city center?
Existuje nočný autobus do centra?
(Ehk-zee-stoo-yeh nohch-nee ow-toh-boos doh tsehn-trah?)

> **Idiomatic Expression:** "Držať palce."
> Meaning: "To keep one's fingers crossed."
> (Literal translation: "To hold thumbs.")

172. What's the cost of a one-day tram pass?
Koľko stojí jednodňový lístok na električku?
(Kohl-koh stoh-yee yehd-nohd-nyoh-vee lee-stok nah eh-lehk-treech-koo?)

> **Fun Fact:** Liptovský Mikuláš is a hub for winter sports enthusiasts, especially those interested in skiing and snowboarding.

Travel Info

173. What's the weather forecast for tomorrow?
Aká je predpoveď počasia na zajtra?
(Ah-kah yeh preh-dpoh-vyed' poh-chah-see-ah nah zahy-trah?)

174. Are there any guided tours of the historical sites?
Existujú sprievodcovské prehliadky historických pamiatok?
(Ehk-zee-stoo-yoo spree-eh-vod-cov-skeh preh-lee-ahd-kee his-toh-reech-keehch pah-mee-ah-tohk?)

175. Can you recommend a good local restaurant for dinner?
Môžete odporučiť dobrú miestnu reštauráciu na večeru?
(Moh-zheh-teh od-poh-roo-cheet' doh-broo myest-noo rehs-tow-rah-tsee-oo nah veh-cheh-roo?)

176. How do I get to the famous landmarks in town?
Ako sa dostanem k slávnym pamiatkam v meste?
(Ah-koh sah dohs-tah-nem k slahv-neem pah-mee-ah-tkahm v mehs-teh?)

177. Is there a visitor center at the airport?
Je na letisku informačné centrum?
(Yeh nah leh-teess-koo een-fohr-mahch-neh tsehn-troom?)

178. What's the policy for bringing pets on the train?
Aká je politika pre prepravu domácich zvierat na vlaku?
(Ah-kah yeh poh-lee-tee-kah preh preh-prah-voo doh-mah-cheeh zvee-eh-raht nah vlah-koo?)

179. Are there any discounts for disabled travelers?
Existujú zľavy pre zdravotne postihnutých cestujúcich?
(Ehk-zee-stoo-yoo zlah-vih preh zdrah-vot-neh poh-steeh-noo-tee hch tseh-stoo-yoo-cheehch?)

> **Idiomatic Expression:** "Byť na koni."
> Meaning: "To be doing well."
> (Literal translation: "To be on a horse.")

180. Can you provide information about local festivals?
Môžete poskytnúť informácie o miestnych festivaloch?
(Moh-zheh-teh poh-skiih-tnooht' een-fohr-mah-tsee-eh oh myest-nee-h fes-tee-vah-lohch?)

181. Is there Wi-Fi available on long bus journeys?
Je na dlhých autobusových cestách k dispozícii Wi-Fi?
(Yeh nah dlheehch ow-toh-boo-soh-veeh tseh-stahch k dees-poh-zee-tsee-ee Wee-Fee?)

> **Fun Fact:** The Mochovce Nuclear Power Plant is one of Slovakia's main sources of electricity.

182. Where can I rent a bicycle for exploring the city?
Kde si môžem prenajať bicykel na preskúmanie mesta?
(Kdeh see moh-zhem preh-nah-yaht' bee-tsee-kel nah preh-skoo-mah-nee-eh mehs-tah?)

> **Travel Story:** During a harvest festival in the Slovak countryside, a farmer said, "Každé zrnko sa počíta," meaning "Every grain counts," highlighting the importance of agriculture and community.

Getting Around by Public Transportation

183. Which bus should I take to reach the city center?
Ktorý autobus by som mal vziať, aby som sa dostal do centra mesta?
(Ktoh-ree ow-toh-boos bee sohm mahl vzyahth, ah-bee sohm sah dohs-tahl doh tsehn-trah meh-stah?)

184. Can I buy a day pass for unlimited rides?
Môžem kúpiť denný lístok na neobmedzené jazdy?
(Moh-zhem koo-peet' dehn-nee lee-stok nah neh-ob-mehd-zen-eh yahz-dih?)

185. Is there a metro station within walking distance?
Je stanica metra v pešej vzdialenosti?
(Yeh stah-nee-tsah meh-trah v peh-shey vzdee-ah-leh-nohs-tee?)

186. How do I transfer between different bus lines?
Ako prestúpiť medzi rôznymi autobusovými linkami?
(Ah-koh preh-stoo-peet' med-zee rohz-nee-mee ow-toh-boo-soh-vee-mee leen-kah-mee?)

187. Are there any discounts for senior citizens?
Existujú zľavy pre dôchodcov?
(Ehk-zee-stoo-yoo zl'ah-vih preh doh-khod-tsohv?)

188. What's the last bus/train for the night?
Ktorý je posledný autobus/vlak na noc?
(Ktoh-ree yeh poh-sleh-dnee ow-toh-boos/vlahk nah nohts?)

189. Are there any express buses to [destination]?
Existujú expresné autobusy do [destinácie]?
(Ehk-zee-stoo-yoo eks-prehs-neh ow-toh-boo-see doh [dehs-tee-nah-ts-yeh]?)

> "Slnko nevychádza pre jedného človeka."
> **"The sun doesn't rise for one person alone."**
> *The world doesn't revolve around a single person;*
> *everyone is part of a larger community.*

190. Do trams run on weekends as well?
Premávajú električky aj cez víkendy?
(Preh-mah-vah-yoo eh-lehk-treech-kee ah-ee tsehz vee-ken-dih?)

> **Fun Fact:** The traditional Slovak wedding is rich in
> customs, including the kidnapping of the bride and the
> wearing of a wreath for virgins.

191. Can you recommend a reliable taxi service?
Môžete odporučiť spoľahlivú taxislužbu?
(Moh-zheh-teh od-poh-roo-cheet' spoh-lah-lee-voo
tahk-see-sloozh-boo?)

192. What's the fare for a one-way ticket to the suburbs?
Koľko stojí jednosmerný lístok do predmestia?
(Kohl-koh stoh-yee yehd-noh-sme-rnee lee-stok doh
prehd-meh-styah?)

> **Travel Story:** At a local market in Banská Bystrica, a
> vendor called his honey "zlato nášho polia," which
> translates to "the gold of our field," praising the natural
> treasures of Slovakia.

Navigating the Airport

193.   Where can I locate the baggage claim area?
        Kde nájdem priestor pre výdaj batožiny?
        (Kdeh nigh-dem pree-ehs-tohr preh vee-die ba-toh-zhih-nee?)

194.   Is there a currency exchange counter in the terminal?
        Je v termináli zmenáreň?
        (Yeh v ter-mee-nah-lee zmeh-nah-ren?)

> **Idiomatic Expression:** "Prejsť od slov k činom."
> Meaning: "To go from words to actions."
> (Literal translation: "To go from words to deeds.")

195.   Are there any pet relief areas for service animals?
        Existujú miesta pre potreby služobných zvierat?
        (Ehk-zee-stoo-yoo mee-es-tah preh poh-treh-bih sloo-zhob-nee-h zvee-rah-t?)

196.   How early can I go through security?
        Ako skoro môžem prejsť bezpečnostnou kontrolou?
        (Ah-koh skoh-roh moh-zhem pry-sht behz-pech-nohs-t-noo kon-troh-loo?)

197.   What's the procedure for boarding the aircraft?
        Aký je postup pre nástup na palubu lietadla?
        (Ah-kee yeh poh-stoop preh nahs-toop nah pah-loo-boo lyeh-tahd-lah?)

198.   Can I use mobile boarding passes?
        Môžem použiť mobilné palubné karty?
        (Moh-zhem poh-oo-zheet' moh-beel-neh pah-loob-neh kahr-tee?)

199. Are there any restaurants past security?
Sú za bezpečnostnou kontrolou nejaké reštaurácie?
(Soo zah behz-pech-nohs-tnoo kon-troh-loo neh-yah-keh rehs-tow-raht-see-eh?)

200. What's the airport's Wi-Fi password?
Aké je heslo pre Wi-Fi na letisku?
(Ah-keh yeh hehs-loh preh Wee-Fee nah leh-tees-koo?)

201. Can I bring duty-free items on board?
Môžem priniesť na palubu bezcolné produkty?
(Moh-zhem pree-neesht' nah pah-loo-boo behz-tsol-neh proh-dook-tee?)

202. Is there a pharmacy at the airport?
Je na letisku lekáreň?
(Yeh nah leh-tees-koo leh-kah-ren?)

Traveling by Car

203. How do I pay tolls on the highway?
Ako zaplatím mýto na diaľnici?
(Ah-koh zah-plah-teem mee-toh nah dyahl-nee-tsee?)

204. Where can I find a car wash nearby?
Kde nájdem autoumyváreň v blízkosti?
(Kdeh nigh-dem ah-oo-too-mee-vah-ren v bleez-koh-stee?)

205. Are there electric vehicle charging stations?
Existujú nabíjacie stanice pre elektrické vozidlá?
(Ehk-zee-stoo-yoo nah-bee-yah-tsee stah-nee-tseh preh eh-lehk-treeh-keh voh-zeed-lah?)

206. Can I rent a GPS navigation system with the car?
Môžem si prenajať GPS navigačný systém s autom?
(Moh-zhem see preh-nah-yat' GPS nah-vee-gahch-nee siss-tehm s ahw-tohm?)

207. What's the cost of parking in the city center?
Koľko stojí parkovanie v centre mesta?
(Kohl-koh stoh-yee pahr-koh-vah-nee v tsehn-treh meh-stah?)

208. Do I need an international driving permit?
Potrebujem medzinárodný vodičský preukaz?
(Poh-treh-boo-yehm mehd-zee-nah-rohd-nee voh-deech-skee preh-oo-kahz?)

209. Is roadside assistance available?
Je k dispozícii asistencia na ceste?
(Yeh k dees-poh-zee-tsee ah-see-stehn-tsee-ah nah tseh-steh?)

210. Are there any traffic cameras on this route?
Sú na tejto trase dopravné kamery?
(Soo nah tie-toh trah-seh doh-prahv-neh kah-meh-ree?)

211. Can you recommend a reliable mechanic?
Môžete odporučiť spoľahlivého mechanika?
(Moh-zheh-teh od-poh-roo-cheet' spoh-lah-lee-voh meh-hah-nee-kah?)

212. What's the speed limit in residential areas?
Aké je rýchlostné obmedzenie v obytných oblastiach?
(Ah-keh yeh reehkh-lohs-tneh ob-meh-dze-nyeh v oh-bee-tnih ob-lah-styahch?)

Airport Transfers and Shuttles

213. Where is the taxi stand located at the airport?
Kde sa nachádza stojisko taxíkov na letisku?
(Kdeh sah nah-khah-dzah stoy-ees-koh tahk-see-kov nah leh-teess-koo?)

214. Do airport shuttles run 24/7?
Premávajú letiskové shuttle služby nepretržite?
(Preh-mah-vah-yoo leh-teess-koh-veh shuh-tleh sloozh-bee neh-preh-trz-ee-teh?)

> **Idiomatic Expression:** "Rozprávať sa stenami."
> Meaning: "To talk to the walls."
> (Literal translation: "To talk with walls.")

215. How long does it take to reach downtown by taxi?
Koľko času trvá dostať sa do centra taxíkom?
(Kohl-koh chah-soo trvah dohs-taht' sah doh tsehn-trah tahk-see-kohm?)

216. Is there a designated pick-up area for ride-sharing services?
Existuje určená oblasť pre vyzdvihnutie služieb zdieľanej jazdy?
(Ehk-zee-stoo-yeh oor-cheh-nah oh-blahsht' preh veez-dveeh-noo-tee sloozh-beeb zdee-lah-neh-y yahz-dih?)

217. Can I book a shuttle in advance?
Môžem si vopred rezervovať shuttle?
(Moh-zhem see voh-prehd reh-zehr-voh-vaht' shuh-tleh?)

> **Fun Fact:** Rye Island is the largest river island in Europe, located in the southwestern part of Slovakia.

218. Do hotels offer free shuttle service to the airport?
Ponúkajú hotely bezplatnú kyvadlovú dopravu na letisko?
(Poh-noo-kah-yoo hoh-teh-li behz-plaht-noo ky-vahd-loh-voo doh-prah-voo nah leh-tees-koh?)

219. What's the rate for a private airport transfer?
Aká je cena za súkromný transfer na letisko?
(Ah-kah yeh tseh-nah zah soo-krohm-nee trans-fehr nah leh-tees-koh?)

220. Are there any public buses connecting to the airport?
Existujú verejné autobusy, ktoré sa spájajú s letiskom?
(Ehk-zee-stoo-yoo veh-rehy-neh ow-toh-boo-sih ktoh-reh sah spah-yah-yoo s leh-tees-kohm?)

221. Can you recommend a reliable limousine service?
Môžete odporučiť spoľahlivú limuzínovú službu?
(Moh-zheh-teh od-poh-roo-cheet' spoh-lah-lee-voo lee-moo-zee-noh-voo sloozh-boo?)

222. Is there an airport shuttle for early morning flights?
Existuje kyvadlová doprava na letisko pre skoré ranné lety?
(Ehk-zee-stoo-yeh ky-vahd-loh-vah doh-prah-vah nah leh-tees-koh preh skoh-reh rah-neh leh-tih?)

Traveling with Luggage

223. Can I check my bags at this train station?
Môžem si tu dať batožinu na odovzdanie?
(Moh-zhem see too dah-t' bah-toh-zhee-noo nah oh-doh-vzdah-nee-eh?)

224. Where can I find baggage carts in the airport?
Kde nájdem na letisku vozíky na batožinu?
(Kdeh nigh-dem nah leh-tees-koo voh-zee-kih nah bah-toh-zhee-noo?)

> **Fun Fact:** Slovakia has more than 6,000 caves, some of which are UNESCO World Heritage Sites.

225. Are there weight limits for checked baggage?
Existujú hmotnostné obmedzenia pre odovzdanú batožinu?
(Ehk-zee-stoo-yoo hmot-nos-tnyeh ob-meh-dze-nyah preh oh-doh-vz-dah-noo bah-toh-zhee-noo?)

226. Can I carry my backpack as a personal item?
Môžem si vziať batoh ako osobnú vec?
(Moh-zhem see vzyaht' bah-toh ah-koh oh-sohb-noo veh-tss?)

227. What's the procedure for oversized luggage?
Aký je postup pre nadrozmernú batožinu?
(Ah-kee yeh poh-stoop preh nah-droh-zmehr-noo bah-toh-zhee-noo?)

228. Can I bring a stroller on the bus?
Môžem si vziať kočík na autobus?
(Moh-zhem see vzyaht' koh-cheek nah ow-toh-boos?)

229. Are there lockers for storing luggage at the airport?
Sú na letisku skrinky na uskladnenie batožiny?
(Soo nah leh-tees-koo skreen-kih nah oos-klahd-neh-nee-eh bah-toh-zhih-nee?)

> **Fun Fact:** The Danube River, the second-longest river in Europe, flows through Bratislava.

230. How do I label my luggage with contact information?
Ako označiť svoju batožinu kontaktnými údajmi?
*(Ah-koh oz-nah-cheet' svo-yoo bah-toh-zhee-noo
kohn-tahkt-nee-mee oo-dimee?)*

231. Is there a lost and found office at the train station?
Je na železničnej stanici kancelária pre stratené predmety?
*(Yeh nah zheh-lez-neech-ney stah-nee-tsee kahn-tseh-lah-ree-ah
preh strah-teh-neh prehd-meh-tih?)*

> **Idiomatic Expression:** "Hodiť flintu do žita."
> Meaning: "To give up."
> (Literal translation: "To throw the gun into the rye.")

232. Can I carry fragile items in my checked bags?
Môžem vo svojej odovzdanej batožine prepravovať krehké predmety?
*(Moh-zhem voh svo-yey oh-dohv-zdah-ney bah-toh-zhee-neh
preh-prah-voh-vat' kreh-keh prehd-meh-tih?)*

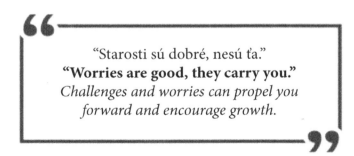

"Starosti sú dobré, nesú ťa."
"Worries are good, they carry you."
*Challenges and worries can propel you
forward and encourage growth.*

Word Search Puzzle: Travel & Transportation

AIRPORT
LETISKO
BUS
AUTOBUS
TAXI
TAXÍK
TICKET
LÍSTOK
MAP
MAPA
CAR
AUTO
METRO
METRO
BICYCLE
BICYKEL
DEPARTURE
ODCHOD
ARRIVAL
PRÍCHOD
ROAD
CESTA
PLATFORM
NÁSTUPIŠTE
STATION
STANICA
TERMINAL
TERMINÁL

```
W  M  M  V  J  G  L  B  R  V  J  L  J  Q  J
A  R  U  K  S  X  Q  F  S  C  A  C  V  E  L
J  O  G  V  A  W  R  D  R  A  O  K  K  E  N
B  F  D  J  L  T  R  V  U  A  L  R  K  R  G
Z  T  G  D  U  R  S  T  D  R  Q  Y  T  L  G
K  A  W  L  M  E  O  E  V  R  C  R  P  E  C
J  L  A  C  K  B  P  P  C  I  X  J  B  I  M
I  P  X  B  U  Í  K  C  B  V  K  K  S  A  D
Y  G  I  S  T  O  X  I  X  A  I  V  Q  W  L
I  X  A  T  T  R  I  A  D  L  O  H  K  A  V
G  J  I  S  O  E  I  B  T  O  Z  X  C  U  T
C  J  Í  Z  Q  D  E  P  A  R  T  U  R  E  E
A  L  I  S  X  L  C  M  D  H  Z  J  R  T  R
R  K  A  O  L  P  V  H  O  G  P  N  Š  N  M
Z  O  R  T  E  M  A  M  O  R  R  I  C  P  I
D  K  A  S  B  U  C  W  Í  D  P  H  X  D  N
F  B  E  D  T  K  C  C  G  U  Y  T  F  B  A
V  D  V  O  V  A  H  Q  T  M  F  E  Y  G  L
D  A  O  R  L  O  N  S  S  T  A  T  I  O  N
M  A  P  U  D  H  À  I  N  W  N  P  Y  Z  W
G  B  B  Z  L  N  Y  O  C  J  G  F  À  B  E
V  C  Q  M  F  T  N  R  L  A  Y  T  A  H  L
H  W  Q  I  O  E  B  R  T  E  E  C  Z  R  C
E  E  R  M  E  K  D  T  W  R  T  C  N  E  Y
J  U  A  C  X  C  Y  X  M  G  D  I  Z  X  C
K  C  R  T  G  I  Y  I  F  L  T  Z  S  U  I
X  K  O  U  Z  T  N  N  S  K  I  V  N  K  B
B  D  I  A  A  À  W  A  I  R  P  O  R  T  O
U  T  F  C  L  T  O  F  O  W  Z  J  G  R  U
S  H  H  R  M  T  B  Q  I  J  D  A  B  L  H
```

59

Correct Answers:

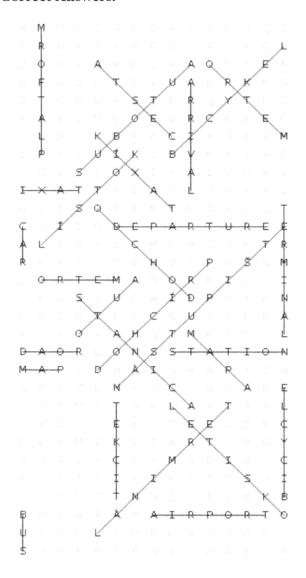

ACCOMMODATIONS

- CHECKING INTO A HOTEL -
- ASKING ABOUT ROOM AMENITIES -
- REPORTING ISSUES OR MAKING REQUESTS -

Hotel Check-In

233. I have a reservation under [Name].
      Mám rezerváciu na meno [Meno].
      (*Mahm reh-zehr-vah-tsee-oo nah meh-noh [Meh-noh].*)

234. Can I see some identification, please?
      Môžem vidieť nejaký doklad totožnosti, prosím?
      (*Moh-zhem vee-dyet' neh-yah-kee doh-klahd toh-tozh-nos-tee,
      proh-seem?*)

235. What time is check-in/check-out?
      Kedy je príchod/odchod?
      (*Keh-dih yeh pree-khod/ohd-khod?*)

236. Is breakfast included in the room rate?
      Je raňajky zahrnuté v cene izby?
      (*Yeh rah-nyai-kee zahr-noo-teh v tseh-neh eez-bih?*)

237. Do you need a credit card for incidentals?
      Potrebujete kreditnú kartu na mimoriadne výdavky?
      (*Poh-treh-boo-yeh-teh kreh-deet-noo kahr-too nah
      mee-moh-ree-ahd-neh vee-dahv-kih?*)

238. May I have a room key, please?
      Môžem dostať kľúč od izby, prosím?
      (*Moh-zhem dohs-taht' kloo-ch od eez-bih, proh-seem?*)

239. Is there a shuttle service to the airport?
      Je k dispozícii kyvadlová doprava na letisko?
      (*Yeh k dees-poh-zee-tsee ky-vahd-loh-vah doh-prah-vah nah
      leh-tees-koh?*)

240. Could you call a bellhop for assistance?
Môžete zavolať nosiča batožiny na pomoc?
(*Moh-zheh-teh zah-voh-laht' noh-see-chah bah-toh-zhee-nih nah poh-mohts?*)

> **Fun Fact:** The traditional folk art of Slovakia includes wood carving, glass painting, and decorated Easter eggs.

Room Amenities

241. Can I request a non-smoking room?
Môžem požiadať o nefajčiarsku izbu?
(*Moh-zhem poh-zhee-ah-daht' oh neh-fai-cha-rskoo eez-boo?*)

242. Is there a mini-fridge in the room?
Je v izbe minibar?
(*Yeh v eez-beh mee-nee-bar?*)

243. Do you provide free Wi-Fi access?
Poskytujete bezplatný prístup k Wi-Fi?
(*Poh-skih-too-yeh-teh behz-plaht-nee pree-shtoop k Wee-Fee?*)

244. Can I have an extra pillow or blanket?
Môžem dostať extra vankúš alebo deku?
(*Moh-zhem dohs-taht' ek-stra vahn-koo-sh ah-leh-boh deh-koo?*)

245. Is there a hairdryer in the bathroom?
Je v kúpeľni fén na vlasy?
(*Yeh v koo-pehl-nee fehn nah vlah-sih?*)

246.   What's the TV channel lineup?
        Aké TV kanály sú k dispozícii?
        (*Ah-keh TV kah-nah-lee soo k dees-poh-zee-tsee?*)

247.   Are toiletries like shampoo provided?
        Sú k dispozícii toaletné potreby ako šampón?
        (*Soo k dees-poh-zee-tsee toh-ah-leht-neh poh-treh-bih ah-koh shahm-pohn?*)

248.   Is room service available 24/7?
        Je izbová služba k dispozícii nonstop?
        (*Yeh iz-boh-vah sloozh-bah k dees-poh-zee-tsee non-stop?*)

> **Fun Fact:** Žilina is home to the largest wooden altar in the world, located in the Church of St. James.

Reporting Issues

249.   There's a problem with the air conditioning.
        Je problém s klimatizáciou.
        (*Yeh proh-blem s klee-mah-tee-zah-tsee-ow.*)

250.   The shower is not working properly.
        Sprcha nefunguje správne.
        (*Sprh-khah neh-foo-ngoo-yeh sprahv-neh.*)

251.   My room key card isn't functioning.
        Moja kľúčová karta od izby nefunguje.
        (*Moh-yah kloo-choh-vah kar-tah od iz-bih neh-foo-ngoo-yeh.*)

252. There's a leak in the bathroom.
V kúpeľni je únik.
(*V koo-pehl-nee yeh oo-neek.*)

253. The TV remote is not responding.
Diaľkový ovládač k TV nereaguje.
(*Dee-ahl-koh-vee ov-lah-dahch k TV neh-reh-ah-goo-yeh.*)

254. Can you fix the broken light in my room?
Môžete opraviť pokazené svetlo v mojej izbe?
(*Moh-zheh-teh op-rah-veet' poh-kah-zeh-neh sveht-loh v moh-yehy iz-beh?*)

255. I need assistance with my luggage.
Potrebujem pomoc s mojou batožinou.
(*Poh-treh-boo-yehm poh-mohts s moh-yoo bah-toh-zhee-noo.*)

256. There's a strange noise coming from next door.
Z vedľajšej izby pochádza čudný hluk.
(*Z ved-lyah-shehy iz-bih poh-hahd-zah choo-dnee hlook.*)

Making Requests

257. Can I have a wake-up call at 7 AM?
Môžem dostať budík o 7:00 ráno?
(*Moh-zhem dohs-taht' boo-deek oh sed-em rah-noh?*)

> **Fun Fact:** Slovaks are passionate about their hockey and have produced numerous NHL players.

258. Please send extra towels to my room.
Prosím, pošlite ďalšie uteráky do mojej izby.
(*Proh-seem, poh-shlee-teh dyahl-shee-eh oo-teh-rah-ki doh mo-yey iz-bih.*)

259. Could you arrange a taxi for tomorrow?
Môžete zariadiť taxík na zajtra?
(*Moh-zheh-teh zah-reea-dit' tahk-seek nah zai-strah?*)

260. I'd like to extend my stay for two more nights.
Rád by som si predĺžil pobyt o ďalšie dve noci.
(*Rahd bee sohm see preh-dyil-zhil poh-bit oh dyahl-shee-eh dv-eh no-tsee.*)

> **Idiomatic Expression:** "Mať dlhý jazyk."
> Meaning: "To be a chatterbox."
> (Literal translation: "To have a long tongue.")

261. Is it possible to change my room?
Je možné zmeniť moju izbu?
(*Yeh mohzh-neh zme-nee-tyeh mo-yoo iz-boo?*)

262. Can I have a late check-out at 2 PM?
Môžem mať neskorý odchod o 14:00?
(*Moh-zhem maht' neh-skoh-ree ohd-hod oh styri-nahst nula nula?*)

263. I need an iron and ironing board.
Potrebujem žehličku a žehliacu dosku.
(*Poh-treh-boo-yehm zheh-leech-koo ah zheh-leeah-tsoo doh-skoo.*)

264. Could you provide directions to [location]?
Môžete dať pokyny k [miestu]?
(*Moh-zheh-teh daht' poh-ki-nee k [mee-es-too]?*)

Room Types and Preferences

265. I'd like to book a single room, please.
Rád by som rezervoval jednolôžkovú izbu, prosím.
(Rahd bee sohm reh-zehr-voh-vahl yed-noh-lôzh-koh-voo iz-boo, proh-seem.)

266. Do you have any suites available?
Máte k dispozícii nejaké apartmány?
(Mah-teh k dees-poh-zee-tsee neh-yah-keh ah-par-tmah-nee?)

267. Is there a room with a view of the city?
Je tu izba s výhľadom na mesto?
(Yeh too iz-bah s vee-hlah-dom nah meh-stoh?)

268. Is breakfast included in the room rate?
Je raňajky zahrnuté v cene izby?
(Yeh rah-nyai-kee zahr-noo-teh v tseh-neh iz-bih?)

269. Can I request a room on a higher floor?
Môžem požiadať o izbu na vyššom poschodí?
(Moh-zhem poh-zhee-ah-daht' oh iz-boo nah vee-shohm poh-schoh-dee?)

270. Is there an option for a smoking room?
Je možnosť fajčiarskej izby?
(Yeh mohzh-nost' fai-chyahr-skehj iz-bih?)

> **Travel Story:** In a quaint café in Trnava, a barista described the perfect coffee as "čierna ako noc, sladká ako láska," meaning "black as night, sweet as love," illustrating the Slovak passion for coffee.

271. Are there connecting rooms for families?
      Sú k dispozícii prepojené izby pre rodiny?
      (*Soo k dees-poh-zee-tsee preh-poh-yeh-neh eez-bih preh roh-dee-nee?*)

272. I'd prefer a king-size bed.
      Dal by som prednosť posteli king-size.
      (*Dahl bih sohm prehd-nosht' poh-steh-lee king-size.*)

273. Is there a bathtub in any of the rooms?
      Je v niektorej z izieb vaňa?
      (*Yeh v nee-ktoh-rey z eez-bee vah-nya?*)

Hotel Facilities and Services

274. What time does the hotel restaurant close?
      Kedy sa zatvára reštaurácia hotela?
      (*Keh-dih sah zah-tvah-rah rehs-tow-rah-tsee-ah hoh-teh-lah?*)

275. Is there a fitness center in the hotel?
      Je v hoteli fitnes centrum?
      (*Yeh v hoh-teh-lee fit-ness tsehn-troom?*)

276. Can I access the pool as a guest?
      Môžem ako hosť využívať bazén?
      (*Moh-zhem ah-koh hosht' vyu-zhee-vaht' bah-zeen?*)

277. Do you offer laundry facilities?
      Ponúkate práčovňu?
      (*Poh-noo-kah-teh prah-chohv-nyoo?*)

278. Is parking available on-site?
Je parkovanie dostupné priamo na mieste?
(*Yeh pahr-koh-vah-nee doh-stoop-neh pree-ah-moh nah mee-est-eh?*)

279. Is room cleaning provided daily?
Je upratovanie izieb poskytované denne?
(*Yeh oop-rah-toh-vah-nee eez-beeb pohs-kih-toh-vah-neh dehn-neh?*)

280. Can I use the business center?
Môžem využiť obchodné centrum?
(*Moh-zhem vyu-zheet' obh-chohd-neh tsehn-troom?*)

281. Are pets allowed in the hotel?
Sú v hoteli povolené domáce zvieratá?
(*Soo v hoh-teh-lee poh-voh-leh-neh doh-mah-tseh zvee-rah-tah?*)

> **Travel Story:** On a foggy morning in the Slovak Paradise National Park, a hiker said, "Kráčame v oblakoch," translating to "We walk in the clouds," capturing the mystical atmosphere of the trails.

Payment and Check-Out

282. Can I have the bill, please?
Môžem dostať účet, prosím?
(*Moh-zhem dohs-taht' oo-chet, proh-seem?*)

283. Do you accept credit cards?
Akceptujete kreditné karty?
(*Ahk-tsehp-too-yeh-teh kreh-deet-neh kar-tih?*)

284. Can I pay in cash?
Môžem platiť v hotovosti?
(Moh-zhem plah-teet' v hoh-toh-vohs-tee?)

285. Is there a security deposit required?
Je vyžadovaný bezpečnostný vklad?
(Yeh vyh-zha-doh-vah-nee behz-pech-nos-tee vklahd?)

286. Can I get a receipt for my stay?
Môžem dostať potvrdenie o mojom pobyte?
(Moh-zhem dohs-taht' poh-tvhr-deh-nee-e oh moh-yohm poh-bih-teh?)

287. What's the check-out time?
Kedy je čas odhlásenia?
(Keh-dih yeh chahs od-hlah-seh-nee-ah?)

288. Is late check-out an option?
Je možné neskoré odhlásenie?
(Yeh mohzh-neh neh-skoh-reh od-hlah-seh-nee-eh?)

289. Can I settle my bill in advance?
Môžem uhradiť môj účet vopred?
(Moh-zhem ooh-hrah-deet' moy oo-cheht voh-prehd?)

Booking Accommodations

290. Can I book online or by phone?
Môžem rezervovať online alebo telefonicky?
(Moh-zhem reh-zehr-voh-vaht' ohn-line ah-leh-boh teh-leh-foh-nee-skee?)

291. How much is the room rate per night?
Koľko stojí izba na noc?
(Kohl-koh stoh-yee eez-bah nah nots?)

292. I'd like to make a reservation.
Chcel by som urobiť rezerváciu.
(Khtsel bih sohm oo-roh-beet' reh-zehr-vah-tsee-yoo.)

293. Are there any special promotions?
Sú nejaké špeciálne akcie?
(Soo neh-yah-keh shpeh-tsee-ahl-neh ahk-tsee-eh?)

294. Is breakfast included in the booking?
Je raňajky zahrnuté v rezervácii?
(Yeh rah-nyai-kee zahr-noo-teh v reh-zehr-vah-tsee-ee?)

295. Can you confirm my reservation?
Môžete potvrdiť moju rezerváciu?
(Moh-zheh-teh poh-tvhr-deet' moh-yoo reh-zehr-vah-tsee-yoo?)

296. What's the cancellation policy?
Aká je politika zrušenia?
(Ah-kah yeh poh-lee-tee-kah zroo-sheh-nee-ah?)

297. I'd like to modify my booking.
Chcel by som zmeniť svoju rezerváciu.
(Khtsel bih sohm zme-neet' svoh-yoo reh-zehr-vah-tsee-yoo.)

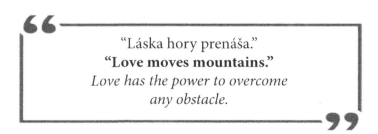

"Láska hory prenáša."
"Love moves mountains."
*Love has the power to overcome
any obstacle.*

Mini Lesson:
Basic Grammar Principles in Slovak #1

Introduction:

Welcome to our introduction to Slovak grammar, the language spoken in Slovakia. Its Slavic roots provide a rich linguistic tapestry, yet it stands out with its own unique features. This lesson will guide beginners through the essential elements of Slovak grammar, paving the way for effective communication.

1. Nouns and Gender:

Slovak nouns are categorized into three genders: masculine, feminine, and neuter. Identifying the gender of a noun is crucial as it affects verb conjugation and adjective agreement.

- *Masculine:* pes (dog)
- *Feminine:* mačka (cat)
- *Neuter:* auto (car)

2. Definite and Indefinite Forms:

Unlike some languages, Slovak does not use articles ("the" or "a/an" in English). The definiteness or indefiniteness of a noun is understood from the context.

3. Personal Pronouns:

Pronouns in Slovak change based on their function in the sentence (subject, object).

- *Ja (I)*
- *Ty (you - singular)*
- *On/Ona/Ono (he/she/it)*
- *My (we)*
- *Vy (you - plural)*
- *Oni/One (they - masculine/feminine or neuter)*

4. Verb Conjugation:

Slovak verbs conjugate for person and number, and there are three tenses: past, present, and future. For example, the verb byť (to be):

- *Som (I am)*
- *Si (You are)*
- *Je (He/She/It is)*
- *Sme (We are)*
- *Ste (You all are)*
- *Sú (They are)*

5. Tenses:

The formation of tenses in Slovak is straightforward yet vital for expressing time.

- *Present: Expresses ongoing action.*
- *Past: Formed with the auxiliary verb byť plus the past participle.*
- *Future: For most verbs, formed by conjugating the verb byť with the infinitive.*

6. Negation:

To negate a sentence in Slovak, nie (not) is placed before the verb.

- *Nerozumiem (I don't understand)*

7. Questions:

Questions can be formed by inverting the subject and verb or by using question words like kto (who), čo (what), kde (where), kedy (when), and ako (how).

- *Rozumieš? (Do you understand?)*
- *Kde je kúpeľňa? (Where is the bathroom?)*

8. Plurals:

Plural formation in Slovak varies depending on the gender and the ending of the noun.

- *Kniha (book) becomes Knihy (books)*

Conclusion:

This introductory lesson covers the basics of Slovak grammar. Understanding these concepts is the first step to mastering Slovak. Practice consistently, and immerse yourself in the language for the best results. Veľa šťastia! (Good luck!)

SHOPPING

- BARGAINING AND HAGGLING -
- DESCRIBING ITEMS AND SIZES -
- MAKING PURCHASES AND PAYMENTS -

Bargaining

298. Can you give me a discount?
Môžete mi dať zľavu?
(Moh-zheh-teh mee daht' zhlah-voo?)

299. What's your best price?
Aká je vaša najlepšia cena?
(Ah-kah yeh vah-shah nigh-lehp-shee-ah tseh-nah?)

300. Is this the final price?
Je to konečná cena?
(Yeh toh koh-nehch-nah tseh-nah?)

301. What's the lowest you can go?
Aká je najnižšia cena, ktorú môžete ponúknuť?
(Ah-kah yeh nigh-nee-zhshah tseh-nah, ktoh-roo moh-zheh-teh poh-nook-nooht'?)

302. Do you offer any discounts for cash payments?
Ponúkate zľavy za platbu v hotovosti?
(Poh-noo-kah-teh zhlah-vih zah plaht-boo v hoh-toh-vohs-tee?)

303. Are there any promotions or deals?
Sú nejaké akcie alebo zľavy?
(Soo neh-yah-keh ahk-tsee-eh ah-leh-boh zhlah-vih?)

304. I'm on a budget. Can you lower the price?
Mám obmedzený rozpočet. Môžete znížiť cenu?
(Mahm ohb-mehd-zeh-nee rohz-poh-chet. Moh-zheh-teh znee-zheet' tseh-noo?)

305. I'd like to negotiate the price.
Rád by som rokoval o cene.
(Rahd bih sohm roh-koh-vahl oh tseh-neh.)

306. Can you do any better on the price?
Môžete ponúknuť lepšiu cenu?
(Moh-zheh-teh poh-nook-nooht' lehp-shee-oo tseh-noo?)

307. Can you match the price from your competitor?
Môžete zodpovedať cenu vášho konkurenta?
(Moh-zheh-teh zohd-poh-veh-dahht' tseh-noo vah-shoh kohn-koo-ren-tah?)

Item Descriptions

308. Can you tell me about this product?
Môžete mi povedať viac o tomto produkte?
(Moh-zheh-teh mee poh-veh-daht' vee-ahc oh toh-mtoh proh-dook-teh?)

309. What are the specifications of this item?
Aké sú špecifikácie tohto produktu?
(Ah-keh soo shpeh-tsee-fee-kah-tsee-eh toh-toh proh-dook-too?)

310. Is this available in different colors?
Je to dostupné v rôznych farbách?
(Yeh toh dohs-toop-neh v rohz-nee-h fahr-bahch?)

311. Can you explain how this works?
Môžete vysvetliť, ako to funguje?
(Moh-zheh-teh vihs-vet-leet', ah-koh toh foon-goo-yeh?)

312. What's the material of this item?
Z akého materiálu je tento predmet?
(*Z ah-kay-hoh mah-teh-ree-ah-loo yeh tehn-toh prehd-met?*)

313. Are there any warranties or guarantees?
Existujú nejaké záruky alebo garancie?
(*Ehk-zee-stoo-yoo neh-yah-keh zah-roo-kee ah-leh-boh gah-ran-tsee-eh?*)

314. Does it come with accessories?
Sú s tým dodatky?
(*Soo s teem doh-daht-kee?*)

315. Can you show me how to use this?
Môžete mi ukázať, ako sa to používa?
(*Moh-zheh-teh mee oo-kah-zaht', ah-koh sah toh poo-zhee-vah?*)

316. Are there any size options available?
Sú dostupné rôzne veľkosti?
(*Soo dohs-toop-neh rohz-neh vehl-koh-stee?*)

317. Can you describe the features of this product?
Môžete opísať vlastnosti tohto produktu?
(*Moh-zheh-teh oh-pee-saht' vlah-stnos-tee toh-toh proh-duk-too?*)

Payments

318. I'd like to pay with a credit card.
Rád by som zaplatil kreditnou kartou.
(*Rahd bih sohm zah-plah-teel kreh-deet-noh kahr-toh-oo.*)

319. Do you accept debit cards?
      Prijímate debetné karty?
      (*Pree-yee-mah-teh deh-beht-neh kahr-tee?*)

320. Can I pay in cash?
      Môžem platiť v hotovosti?
      (*Moh-zhem plah-teet' v hoh-toh-voh-stee?*)

> **Idiomatic Expression:** "Mať niečo za ušami."
> Meaning: "To be up to something."
> (Literal translation: "To have something behind the ears.")

321. What's your preferred payment method?
      Ktorý spôsob platby preferujete?
      (*Ktoh-ree spo-sohb plah-tbih preh-feh-roo-yeh-teh?*)

322. Is there an extra charge for using a card?
      Je poplatok za použitie karty?
      (*Yeh poh-plah-tohk zah poo-zhee-tee-eh kahr-tee?*)

323. Can I split the payment into installments?
      Môžem rozdeliť platbu na splátky?
      (*Moh-zhem rohz-deh-leet' plah-tboo nah splah-tkee?*)

324. Do you offer online payment options?
      Ponúkate možnosti online platby?
      (*Poh-noo-kah-teh mohzh-nos-tee ohn-line plah-tbih?*)

325. Can I get a receipt for this purchase?
      Môžem dostať doklad o tomto nákupe?
      (*Moh-zhem dohs-taht' dohk-lahd oh toh-mtoh nah-koo-peh?*)

326. Are there any additional fees?
Sú tu nejaké dodatočné poplatky?
(*Soo too neh-yah-keh doh-dah-toch-neh poh-plaht-kee?*)

327. Is there a minimum purchase amount for card payments?
Existuje minimálna suma nákupu pre platby kartou?
(*Ehk-zee-stoo-yeh meen-ee-mahl-nah soo-mah nah-koo-poo preh plah-tbih kar-toh-oo?*)

> **Travel Story:** While attending a folk performance in Vlkolínec, an observer remarked, "Hudba je jazyk duše," which means "Music is the language of the soul," reflecting the deep-rooted cultural traditions in Slovakia.

Asking for Recommendations

328. Can you recommend something popular?
Môžete odporučiť niečo obľúbené?
(*Moh-zheh-teh od-poh-roo-cheet' nee-eh-choh ob-loo-beh-neh?*)

329. What's your best-selling product?
Ktorý produkt sa predáva najlepšie?
(*Ktoh-ree proh-dukt sah preh-dah-vah nai-lehp-shee-eh?*)

330. Do you have any customer favorites?
Máte nejaké obľúbené produkty zákazníkov?
(*Mah-teh neh-yah-keh ob-loo-beh-neh proh-duk-tee zah-kahz-neek-ov?*)

331. Is there a brand you would suggest?
Odporúčate nejakú značku?
(*Od-poh-roo-cha-teh neh-yah-koo znahch-koo?*)

332. Could you point me to high-quality items?
Môžete mi ukázať produkty vysokej kvality?
(Moh-zheh-teh mee oo-kah-zhaht' proh-duk-tee vih-soh-key kvah-lee-tee?)

333. What do most people choose in this category?
Čo si väčšina ľudí vyberá v tejto kategórii?
(Choh see vehch-shee-nah lyoo-dee vih-beh-rah v tie-toh kah-teh-goh-ree-ee?)

334. Are there any special recommendations?
Máte nejaké špeciálne odporúčania?
(Mah-teh neh-yah-keh shpeh-tsee-ahl-neh od-poh-roo-cha-nee-ah?)

335. Can you tell me what's trendy right now?
Môžete mi povedať, čo je momentálne v móde?
(Moh-zheh-teh mee poh-veh-daht', choh yeh moh-men-tahl-neh v moh-deh?)

336. What's your personal favorite here?
Ktorý produkt je váš osobný favorit tu?
(Ktoh-ree proh-dukt yeh vahsh oh-sohb-nee fah-voh-reet too?)

337. Any suggestions for a gift?
Máte nejaký nápad na darček?
(Mah-teh neh-yah-kee nah-pahd nah darh-chehk?)

> **Language Learning Tip:** Watch Slovak YouTube Channels - There are many channels dedicated to teaching Slovak.

Returns and Exchanges

338.　I'd like to return this item.
Rád by som vrátil tento produkt.
(Rahd bih sohm vrah-teel tehn-toh proh-dukt.)

339.　Can I exchange this for a different size?
Môžem to vymeniť za inú veľkosť?
(Moh-zhem toh vy-meh-neet' zah ee-noo vehl-kohsht?)

340.　What's your return policy?
Aká je vaša politika vrátenia?
(Ah-kah yeh vah-shah poh-lee-tee-kah vrah-teh-nee-ah?)

341.　Is there a time limit for returns?
Existuje časový limit pre vrátenie?
(Ehk-zee-stoo-yeh chah-soh-vee lee-meet preh vrah-teh-nee-eh?)

342.　Do I need a receipt for a return?
Potrebujem doklad pre vrátenie?
(Poh-treh-boo-yehm dohk-lahd preh vrah-teh-nee-eh?)

343.　Is there a restocking fee for returns?
Existuje poplatok za doplnenie zásob pri vráteniach?
(Ehk-zee-stoo-yeh poh-plah-tohk zah dohp-leh-nee-eh zah-sohb pree vrah-teh-nee-ahch?)

344.　Can I get a refund or store credit?
Môžem dostať vrátenie peňazí alebo kredit v obchode?
(Moh-zhem dohs-taht' vrah-teh-nee-eh peh-nyah-zee ah-leh-boh kre-deet v ohb-hoh-deh?)

345. Do you offer exchanges without receipts?
Ponúkate výmeny bez dokladu?
(*Poh-noo-kah-teh vee-me-nee behz dohk-lah-doo?*)

346. What's the process for returning a defective item?
Aký je postup pre vrátenie poškodeného produktu?
(*Ah-kee yeh poh-stoop preh vrah-teh-nee-eh poh-shkoh-deh-neh-hoh proh-dukt-oo?*)

347. Can I return an online purchase in-store?
Môžem vrátiť online nákup v obchode?
(*Moh-zhem vrah-teet' ohn-line nah-koop v ohb-hoh-deh?*)

> **Travel Story:** At the banks of the Danube in Bratislava, a local fisherman noted, "Táto rieka má mnoho príbehov," translating to "This river has many stories," speaking to the historical significance of the Danube.

Shopping for Souvenirs

348. I'm looking for local souvenirs.
Hľadám miestne suveníry.
(*Hlah-dahm myest-neh soo-veh-neer-ee.*)

349. What's a popular souvenir from this place?
Aký je populárny suvenír z tohto miesta?
(*Ah-kee yeh poh-poo-lahr-nee soo-veh-neer z toh-toh myes-tah?*)

350. Do you have any handmade souvenirs?
Máte ručne vyrobené suveníry?
(*Mah-teh roo-chneh vih-roh-beh-neh soo-veh-neer-ee?*)

351.   Are there any traditional items here?
       Sú tu nejaké tradičné výrobky?
       (Soo too neh-yah-keh trah-deech-neh vee-rohb-kee?)

352.   Can you suggest a unique souvenir?
       Môžete odporučiť unikátny suvenír?
       (Moh-zheh-teh od-poh-roo-cheet' oo-nee-kah-tnih soo-veh-neer?)

353.   I want something that represents this city.
       Chcem niečo, čo reprezentuje toto mesto.
       (Hkhem nee-eh-cho, cho reh-preh-zen-too-yeh toh-toh meh-stoh.)

354.   Are there souvenirs for a specific landmark?
       Existujú suveníry pre konkrétnu pamiatku?
       *(Ehk-zee-stoo-yoo soo-veh-neer-ee preh kon-kreh-tnoo
       pah-myah-too-koo?)*

355.   Can you show me souvenirs with cultural significance?
       Môžete mi ukázať suveníry s kultúrnym významom?
       *(Moh-zheh-teh mee oo-kah-zaht' soo-veh-neer-ee s
       kool-toor-nihm veez-nah-mohm?)*

356.   Do you offer personalized souvenirs?
       Ponúkate personalizované suveníry?
       *(Poh-noo-kah-teh pehr-soh-nah-lee-zoh-vah-neh
       soo-veh-neer-ee?)*

357.   What's the price range for souvenirs?
       Aký je cenový rozsah suvenírov?
       (Ah-kee yeh tseh-noh-vee roh-sahh soo-veh-neer-ohv?)

Shopping Online

358. How do I place an order online?
      Ako môžem dať objednávku online?
      (*Ah-koh moh-zhem daht' oh-byeh-dnahv-koo ohn-line?*)

359. What's the website for online shopping?
      Aká je webová stránka pre online nakupovanie?
      (*Ah-kah yeh veh-boh-vah strahn-kah preh ohn-line
      nah-koo-poh-vah-nee-eh?*)

360. Do you offer free shipping?
      Ponúkate bezplatné doručenie?
      (*Poh-noo-kah-teh behz-plaht-neh doh-roo-cheh-nee-eh?*)

361. Are there any online discounts or promotions?
      Sú online nejaké zľavy alebo akcie?
      (*Soo ohn-line neh-yah-keh zlah-vih ah-leh-boh ahk-tsee-eh?*)

362. Can I track my online order?
      Môžem sledovať moju online objednávku?
      (*Moh-zhem sleh-doh-vah-t' moh-yoo ohn-line
      oh-byeh-dnahv-koo?*)

363. What's the return policy for online purchases?
      Aká je politika vrátenia pre online nákupy?
      (*Ah-kah yeh poh-lee-tee-kah vrah-teh-nee-ah preh ohn-line
      nah-koo-pih?*)

364. Do you accept various payment methods online?
      Akceptujete rôzne spôsoby platby online?
      (*Ahk-tsehp-too-yeh-teh rohz-neh spoh-soh-bih plah-tbih
      ohn-line?*)

365.   Is there a customer support hotline for online orders?
Existuje telefónne číslo pre zákaznícku podporu pri online objednávkach?
(Ehk-zee-stoo-yeh teh-leh-fohn-neh chee-sloh preh zah-kahz-neech-koo poh-dpoh-roo pree ohn-line oh-byeh-dnahv-kahch?)

> **Idiomatic Expression:** "Byť v malinách."
> Meaning: "To be in trouble."
> (Literal translation: "To be in raspberries.")

366.   Can I change or cancel my online order?
Môžem zmeniť alebo zrušiť svoju online objednávku?
(Moh-zhem zme-neet' ah-leh-boh zroo-sheeat' svo-yoo ohn-line oh-byeh-dnahv-koo?)

367.   What's the delivery time for online purchases?
Aký je čas doručenia pre online nákupy?
(Ah-kee yeh chahs doh-roo-cheh-nee-ah preh ohn-line nah-koo-pih?)

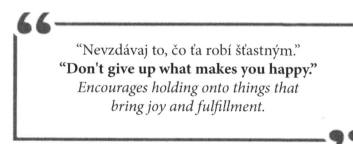

"Nevzdávaj to, čo ťa robí šťastným."
"Don't give up what makes you happy."
Encourages holding onto things that bring joy and fulfillment.

Cross Word Puzzle: Shopping

(Provide the English translation for the following Slovak words)

Down

1. - KOŠÍK
3. - POKLADNÍK
4. - NÁKUP
5. - OBLEČENIE
8. - NÁKUPNÝ VOZÍK
9. - ÚČET

Across

2. - PEŇAŽENKA
3. - ZÁKAZNÍK
6. - ZĽAVA
7. - CENA
9. - BUTIK
10. - ZNAČKA

Correct Answers:

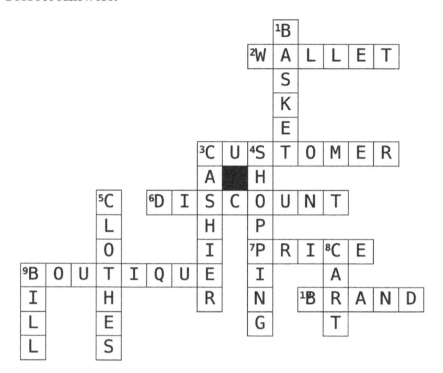

EMERGENCIES

- SEEKING HELP IN CASE OF AN EMERGENCY -
- REPORTING ACCIDENTS OR HEALTH ISSUES -
- CONTACTING AUTHORITIES OR MEDICAL SERVICES -

Getting Help in Emergencies

368. Call an ambulance, please.
Zavolajte prosím sanitku.
(Zah-voh-lai-te proh-seem sah-nee-tkoo.)

> **Language Learning Tip:** Write in Slovak - Keep a
> journal or write essays and have them corrected by
> native speakers.

369. I need a doctor right away.
Potrebujem lekára ihneď.
(Poh-treh-boo-yehm leh-kah-rah ih-nyehd.)

370. Is there a hospital nearby?
Je tu v blízkosti nemocnica?
(Yeh too v bleez-kohs-tee neh-mohts-nee-tsah?)

371. Help! I've lost my way.
Pomoc! Stratil som cestu.
(Poh-mohts! Strah-teel sohm tseh-stoo.)

372. Can you call the police?
Môžete zavolať políciu?
(Moh-zheh-teh zah-voh-laht' poh-lee-tsee-oo?)

373. Someone, please call for help.
Niektorý, prosím, zavolajte o pomoc.
(Nee-ehk-toh-ree, proh-seem, zah-voh-lai-te oh poh-mohts.)

374. My friend is hurt, we need assistance.
Môj priateľ je zranený, potrebujeme pomoc.
*(Mohy pree-ah-tehl yeh zrah-neh-nee, poh-treh-boo-yeh-meh
poh-mohts.)*

375. I've been robbed; I need the authorities.
Bol som okradnutý; potrebujem úrady.
(Bohl sohm oh-krad-noo-tee; poh-treh-boo-yehm oor-ah-dih.)

376. Please, I need immediate assistance.
Prosím, potrebujem okamžitú pomoc.
(Proh-seem, poh-treh-boo-yehm oh-kahm-zhee-too poh-mohts.)

377. Is there a fire station nearby?
Je tu v blízkosti hasičská stanica?
(Yeh too v bleez-kohs-tee hah-sheech-skah stah-nee-tsah?)

Reporting Incidents

378. I've witnessed an accident.
Bol som svedkom nehody.
(Bohl sohm svehd-kohm neh-hoh-dih.)

379. There's been a car crash.
Došlo k dopravnej nehode.
(Doh-shloh k doh-prahv-nyeh neh-hoh-deh.)

380. We need to report a fire.
Musíme nahlásiť požiar.
(Moo-see-meh nah-hlah-seet' poh-zhiar.)

381. Someone has stolen my wallet.
Niekto mi ukradol peňaženku.
(Nee-ehk-toh mee oo-krah-dohl peh-nya-zhehn-koo.)

382. I need to report a lost passport.
Potrebujem nahlásiť stratený pas.
(Poh-treh-boo-yehm nahl-ah-sit' strah-teh-nee pahs.)

383. There's a suspicious person here.
Tu je podozrivá osoba.
(Too yeh poh-doh-zree-vah oh-soh-bah.)

384. I've found a lost child.
Našiel som stratené dieťa.
(Nah-shyehl sohm strah-teh-neh dyeh-tyah.)

385. Can you help me report a missing person?
Môžete mi pomôcť nahlásiť nezvestnú osobu?
(Moh-zheh-teh mee poh-mohtch' nahl-ah-sit' neh-zves-tnoo oh-soh-boo?)

386. We've had a break-in at our home.
Mali sme vlámanie do nášho domu.
(Mah-lee smeh vlah-mah-nyeh doh nah-shoh doh-moo.)

387. I need to report a damaged vehicle.
Potrebujem nahlásiť poškodené vozidlo.
(Poh-treh-boo-yehm nahl-ah-sit' poh-shkoh-deh-neh voh-zee-dloh.)

Contacting Authorities

388. I'd like to speak to the police.
Chcel by som hovoriť s políciou.
(Kh-tsel bih sohm hoh-vo-rit' s poh-lee-tsee-ow.)

389. I need to contact the embassy.
Potrebujem kontaktovať veľvyslanectvo.
(Poh-treh-boo-yehm kohn-tahk-toh-vaht' vehl-vih-slah-nehts-tvoh.)

390. Can you connect me to the fire department?
Môžete ma spojiť s hasičmi?
(Moh-zheh-teh mah spoh-yeeht' s hah-sheech-mee?)

391. We need to reach animal control.
Potrebujeme dosiahnuť zvieraciu kontrolu.
(Poh-treh-boo-yeh-meh doh-see-ah-noot' zvee-rah-tsyoo kohn-troh-loo.)

392. How do I get in touch with the coast guard?
Ako sa môžem spojiť s pobrežnou strážou?
(Ah-koh sah moh-zhem spoh-yeeht' s poh-brehzh-noh strah-zhoh?)

393. I'd like to report a noise complaint.
Chcel by som podať sťažnosť na hluk.
(Kh-tsel bih sohm poh-daht' shtahzh-nosht' nah hlook.)

394. I need to contact child protective services.
Potrebujem kontaktovať službu ochrany detí.
(Poh-treh-boo-yehm kohn-tahk-toh-vaht' sloozh-boo oh-chrah-nee deh-tee.)

395. Is there a hotline for disaster relief?
Existuje horúca linka pre pomoc pri katastrofách?
(Ehk-zee-stoo-yeh hoh-roo-tchah leen-kah preh poh-mohts' pree kah-tah-stroh-fahch?)

Fun Fact: Andy Warhol, a leading figure in the visual art movement known as pop art, had parents who were Slovak immigrants.

396. I want to report a hazardous situation.
Chcem nahlásiť nebezpečnú situáciu.
(Khem nah-lah-sit' neh-bez-pech-noo see-too-ah-tsyoo.)

397. I need to reach the environmental agency.
Potrebujem kontaktovať environmentálnu agentúru.
(Poh-treh-boo-yehm kohn-tahk-toh-vat' eh-nvih-rohn-mehn-tahl-noo ah-gent-oo-roo.)

> **Travel Story:** In the vineyards of the Small Carpathians, a winemaker described his wine as "poezia v pohári," meaning "poetry in a glass," celebrating the region's winemaking heritage.

Medical Emergencies

398. I'm feeling very ill.
Cítim sa veľmi zle.
(Tsee-teem sah vehl-mee zleh.)

399. There's been an accident; we need a medic.
Stala sa nehoda; potrebujeme zdravotníka.
(Stah-lah sah neh-hoh-dah; poh-treh-boo-yeh-meh zdrah-vot-nee-kah.)

400. Call 112; it's a medical emergency.
Zavolajte 112; je to zdravotná núdza.
(Zah-voh-lai-teh 112; yeh toh zdrah-vot-nah noo-dzah.)

> **Fun Fact:** Traditional Slovak dishes include bryndzové halušky, potato dumplings with sheep cheese and bacon.

401. We need an ambulance right away.
      Potrebujeme sanitku okamžite.
      (Poh-treh-boo-yeh-meh sah-nee-tkoo oh-kahm-zhi-teh.)

402. I'm having trouble breathing.
      Mám problémy s dýchaním.
      (Mahm proh-bleh-mee s dee-khah-neem.)

403. Someone has lost consciousness.
      Niekomu sa stratilo vedomie.
      (Nee-eh-koh-moo sah strah-tee-loh veh-doh-mee-eh.)

404. I think it's a heart attack; call for help.
      Myslím, že je to infarkt; zavolajte o pomoc.
      *(Mees-leem, zheh yeh toh een-fahrkt; zah-voh-lai-teh oh
      poh-mohts.)*

405. There's been a severe injury.
      Došlo k vážnemu zraneniu.
      (Doh-shloh k vahzh-neh-moo zrah-neh-nyoo.)

406. I need immediate medical attention.
      Potrebujem okamžitú lekársku pomoc.
      (Poh-treh-boo-yehm oh-kahm-zhee-too leh-kahr-skoo poh-mohts.)

407. Is there a first-aid station nearby?
      Je v blízkosti stanica prvej pomoci?
      (Yeh v bleez-kohs-tee stah-nee-tsah prv-ehj poh-moh-tsee?)

> **Idiomatic Expression:** "Cítiť sa ako ryba vo vode."
> Meaning: "To feel in one's element."
> (Literal translation: "To feel like a fish in water.")

Fire and Safety

408. There's a fire; call 112!
Je požiar; volajte 112!
(Yeh poh-zhiar; vo-lai-teh 112!)

409. We need to evacuate the building.
Musíme evakuovať budovu.
(Moo-see-meh eh-vah-koo-oh-vaht' boo-doh-voo.)

410. Fire extinguisher, quick!
Hasiaci prístroj, rýchlo!
(Hah-see-ah-tsee pree-stroy, ree-chloh!)

411. I smell gas; we need to leave.
Cítim plyn; musíme odísť.
(Tsee-teem plin; moo-see-meh oh-deesht.)

> **Fun Fact:** The first university in Slovakia, Universitas Istropolitana, was founded in 1465.

412. Can you contact the fire department?
Môžete kontaktovať hasičov?
(Moh-zheh-teh kohn-tahk-toh-vaht' hah-shee-khov?)

413. There's a hazardous spill; we need help.
Došlo k nebezpečnému vylitiu; potrebujeme pomoc.
(Doh-shloh k neh-bez-pech-neh-moo vih-lee-tyoo; poh-treh-boo-yeh-meh poh-mohts.)

414. Is there a fire escape route?
Existuje úniková cesta v prípade požiaru?
(Ehk-zee-stoo-yeh oo-nee-koh-vah tseh-stah v pree-pah-deh poh-zhi-ah-roo?)

415.	This area is not safe; we need to move.
	Táto oblasť nie je bezpečná; musíme sa pohnúť.
	(Tah-toh oh-blahsht' nyeh yeh behz-pech-nah; moo-see-meh sah pohg-nooht.)

416.	Alert, there's a potential explosion.
	Upozornenie, hrozí výbuch.
	(Oo-poh-zohr-neh-nyeh, hroh-zee vee-booh.)

417.	I see smoke; we need assistance.
	Vidím dym; potrebujeme pomoc.
	(Vee-deem dihm; poh-treh-boo-yeh-meh poh-mohts.)

Natural Disasters

418.	It's an earthquake; take cover!
	Je zemetrasenie; schovejte sa!
	(Yeh zeh-meh-trah-seh-nyeh; skhoh-vey-teh sah!)

419.	We're experiencing a tornado; find shelter.
	Prežívame tornádo; nájdite úkryt.
	(Preh-zhee-vah-meh tor-nah-doh; nai-dee-teh oo-krit.)

420.	Flood warning; move to higher ground.
	Varovanie pred záplavami; presuňte sa na vyššie miesta.
	(Vah-roh-vah-nyeh prehd zah-plah-vah-mee; preh-soon-teh sah nah vee-shyeh myeh-stah.)

421.	We need to prepare for a hurricane.
	Musíme sa pripraviť na hurikán.
	(Moo-see-meh sah pree-prah-veet' nah hoo-ree-kahn.)

422. This is a tsunami alert; head inland.
Toto je varovanie pred cunami; presuňte sa do vnútrozemia.
(Toh-toh yeh vah-roh-vah-nyeh prehd tsoo-nah-mee; preh-soon-teh sah doh vnoo-troh-zeh-mee-ah.)

Fun Fact: The traditional Slovak folk costume is known for its intricate embroidery and colorful designs.

423. It's a wildfire; evacuate immediately.
Je to lesný požiar; evakuujte ihneď.
(Yeh toh lehs-nee poh-zhiar; eh-vah-koo-yte ih-nyehd.)

424. There's a volcanic eruption; take precautions.
Došlo k výbuchu sopky; prijmite opatrenia.
(Doh-shloh k vee-boo-hoo sohp-kee; pree-y-mee-teh oh-paht-reh-nee-ah.)

425. We've had an avalanche; help needed.
Stala sa lavína; potrebná je pomoc.
(Stah-lah sah lah-vee-nah; poh-trehb-nah yeh poh-mohts.)

426. Earthquake aftershock; stay indoors.
Doslo k došľahom zemetrasenia; zostaňte vo vnútri.
(Dohs-loh k doh-shlah-hom zeh-meh-trah-seh-nee-ah; zohs-tah-nyeh voh vnoo-tree.)

427. Severe thunderstorm; seek shelter.
Silná búrka; hľadajte úkryt.
(Seel-nah boor-kah; hl-ah-dai-teh oo-kreet.)

Emergency Services Information

428. What's the emergency hotline number?
Aké je číslo tiesňovej linky?
(Ah-keh yeh chee-sloh tee-es-nyo-veh leen-kee?)

429. Where's the nearest police station?
Kde je najbližšia policajná stanica?
(Kdeh yeh nai-bleezh-shyah poh-lee-cai-nah stah-nee-tsah?)

430. How do I contact the fire department?
Ako sa môžem spojiť s hasičmi?
(Ah-koh sah moh-zhem spoy-eet' s hah-sheech-mee?)

431. Is there a hospital nearby?
Je v blízkosti nemocnica?
(Yeh v bleez-koh-stee neh-mohts-nee-tsah?)

432. What's the number for poison control?
Aké je číslo toxikologickej služby?
(Ah-keh yeh chee-sloh tohk-see-koh-loh-gee-keh sloozh-bee?)

433. Where can I find a disaster relief center?
Kde môžem nájsť centrum pre pomoc pri katastrofách?
(Kdeh moh-zhem nai-sht' tsehn-trum preh poh-mohts pree kah-tah-stroh-fahch?)

> **Fun Fact:** The Slovak language was standardized in the 1840s by Ľudovít Štúr, a key figure in Slovak nationalism.

434. What's the local emergency radio station?
     Ktorá je miestna rádiová stanica pre núdzové prípady?
     (Ktoh-rah yeh myest-nah rah-dee-oh-vah stah-nee-tsah preh noo-dzoh-veh pree-pah-dee?)

435. Are there any shelters in the area?
     Sú v oblasti nejaké útulky?
     (Soo v ob-lahs-tee neh-yah-keh oo-too-lkee?)

436. Who do I call for road assistance?
     Na koho sa obrátim pre pomoc na ceste?
     (Nah koh-hoh sah oh-brah-teem preh poh-moch nah tseh-steh?)

437. How can I reach search and rescue teams?
     Ako môžem kontaktovať vyhľadávacie a záchranné tímy?
     (Ah-koh moh-zhem kohn-tahk-toh-vahch vee-hlah-dah-vah-chee-eh ah zah-hrahn-neh tee-mee?)

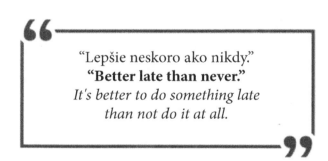

"Lepšie neskoro ako nikdy."
"Better late than never."
It's better to do something late than not do it at all.

Interactive Challenge: Emergencies Quiz

1. **How do you say "emergency" in Slovak?**

   a) Jablko
   b) Núdzový stav
   c) Syr
   d) Pláž

2. **What's the Slovak word for "ambulance"?**

   a) Auto
   b) Bicykel
   c) Sanitka
   d) Škola

3. **If you need immediate medical attention, what should you say in Slovak?**

   a) Potrebujem chlieb
   b) Kde je metrová stanica?
   c) Potrebujem okamžitú lekársku pomoc

4. **How do you ask "Is there a hospital nearby?" in Slovak?**

   a) Kde je kino?
   b) Máte pero?
   c) Je v blízkosti nemocnica?

5. **What's the Slovak word for "police"?**

   a) Jablko
   b) Polícia
   c) Vlak

6. How do you say "fire" in Slovak?

   a) Slnko
   b) Pes
   c) Požiar
   d) Kniha

7. If you've witnessed an accident, what phrase can you use in Slovak?

   a) Potrebujem čokoládu
   b) Videl som nehodu
   c) Mám rád kvety
   d) Toto je môj dom

8. What's the Slovak word for "help"?

   a) Dovidenia
   b) Dobré ráno
   c) Ďakujem
   d) Pomoc

9. How would you say "I've been robbed; I need the authorities" in Slovak?

   a) Jedol som syr
   b) Bol som okradnutý; potrebujem úrady
   c) To je pekný vrch

10. How do you ask "Can you call an ambulance, please?" in Slovak?

    a) Môžete objednať taxík, prosím?
    b) Môžete mi dať soľ?
    c) Môžete zavolať sanitku, prosím?

11. What's the Slovak word for "emergency services"?

a) Núdzové služby
b) Chutný koláč
c) Ľahký

12. How do you say "reporting an accident" in Slovak?

a) Spievať
b) Čítať knihu
c) Nahlásiť nehodu

13. If you need to contact the fire department, what should you say in Slovak?

a) Ako sa dostanem do knižnice?
b) Potrebujem kontaktovať hasičov
c) Hľadám svojho priateľa

14. What's the Slovak word for "urgent"?

a) Malý
b) Krásny
c) Rýchly
d) Naliehavý

15. How do you ask for the nearest police station in Slovak?

a) Kde je najbližšia pekáreň?
b) Kde je najbližšia policajná stanica?
c) Máte mapu?
d) Koľko je hodín?

Correct Answers:

1. b)
2. c)
3. c)
4. c)
5. b)
6. c)
7. b)
8. d)
9. b)
10. c)
11. a)
12. c)
13. b)
14. d)
15. b)

EVERYDAY CONVERSATIONS

- SMALL TALK AND CASUAL CONVERSATIONS -
- DISCUSSING THE WEATHER, HOBBIES, AND INTERESTS -
- MAKING PLANS WITH FRIENDS OR ACQUAINTANCES -

Small Talk

438. How's it going?
Ako sa máš?
(Ah-koh sah mahsh?)

439. Nice weather we're having, isn't it?
Máme pekné počasie, však?
(Mah-meh peh-kneh po-cha-see-eh, vshahk?)

440. Have any exciting plans for the weekend?
Máš nejaké vzrušujúce plány na víkend?
(Mahsh neh-yah-keh vz-roo-shoo-yoo-tseh plah-nee nah vee-kend?)

441. Did you catch that new movie?
Videl si ten nový film?
(Vee-del see tehn noh-vee feelm?)

442. How's your day been so far?
Ako bol tvoj deň doteraz?
(Ah-koh bol tvoy deň doh-teh-raz?)

443. What do you do for work?
Čomu sa venuješ v práci?
(Choh-moo sah veh-noo-yehsh v prah-tsee?)

444. Do you come here often?
Chodíš sem často?
(Hoh-deesh sem chah-stoh?)

445. Have you tried the food at this place before?
Už si skúšal jedlo odtiaľto?
(Ooz see skoo-shahl yed-loh odt-yahl-toh?)

446. Any recommendations for things to do in town?
Máš nejaké odporúčania, čo robiť v meste?
(Mahsh neh-yah-keh od-poh-roo-chah-nee-ah, cho roh-beet' v meh-steh?)

447. Do you follow any sports teams?
Fandíš nejakému športovému tímu?
(Fahn-deesh neh-yah-keh-moo shpohr-toh-vay-moo tee-moo?)

448. Have you traveled anywhere interesting lately?
Cestoval si nedávno niekam zaujímavé?
(Tseh-stoh-vahl see neh-dahv-noh nyeh-kahm zow-yee-mah-veh?)

449. Do you enjoy cooking?
Baví ťa varenie?
(Bah-vee tyah vah-reh-nyeh?)

> **Travel Story:** During a snowy evening in Žilina, someone remarked, "Sneh pokrýva mesto tichom," translating to "Snow covers the city in silence," capturing the peaceful ambiance of winter.

Casual Conversations

450. What's your favorite type of music?
Aký je tvoj obľúbený hudobný žáner?
(Ah-kee yeh tvoy ob-loo-beh-nee hoo-dob-nee zha-ner?)

> **Fun Fact:** Slovakia is home to the highest number of castles and chateaux per capita in the world.

451. How do you like to spend your free time?
Ako rád tráviš svoj voľný čas?
(Ah-koh rahd trah-veesh svoi vol-nee chas?)

452. Do you have any pets?
Máš nejaké domáce zvieratá?
(Mahsh neh-yah-keh doh-mah-tseh zvee-eh-rah-tah?)

453. Where did you grow up?
Kde si vyrástol/a?
(Kdeh see veer-ras-tol/ah?)

454. What's your family like?
Aká je tvoja rodina?
(Ah-kah yeh tvoy-ah roh-dee-nah?)

455. Are you a morning person or a night owl?
Si ranný typ alebo nočná sova?
(See rahn-nee teep ah-leh-boh nohch-nah soh-vah?)

456. Do you prefer coffee or tea?
Máš radšej kávu alebo čaj?
(Mahsh rah-dshey kah-voo ah-leh-boh chahy?)

457. Are you into any TV shows right now?
Sleduješ momentálne nejaké televízne seriály?
(Sleh-doo-yehsh moh-men-tahl-neh neh-yah-keh teh-leh-veez-neh seh-ree-ah-li?)

> **Idiomatic Expression:** "Dať niekomu košom."
> Meaning: "To reject someone."
> (Literal translation: "To give someone a basket.")

458. What's the last book you read?
Akú knihu si čítal/a naposledy?
(Ah-koo k-nee-hoo see chee-tahl/ah nah-poh-sleh-dee?)

459. Do you like to travel?
Rád/rada cestuješ?
(Rahd/rah-dah tseh-stoo-yehsh?)

460. Are you a fan of outdoor activities?
Si fanúšikom vonkajších aktivít?
(See fah-noo-shee-kohm vohn-kah-y-sheekh ahk-tee-veet?)

461. How do you unwind after a long day?
Ako sa uvoľňuješ po dlhom dni?
(Ah-koh sah oo-vol-nyoo-yehsh poh dloh-hohm dnee?)

Discussing the Weather

462. Can you believe this heat/cold?
Vieš uveriť tejto horúčave/zime?
(Vee-esh oo-veh-reet tay-toh hoh-roo-cha-veh/zee-meh?)

463. I heard it's going to rain all week.
Počul/a som, že bude pršať celý týždeň.
(Poh-chool/ah sohm, zheh boo-deh prshah-t tse-lih tee-zhdehn.)

464. What's the temperature like today?
Aká je dnes teplota?
(Ah-kah yeh dnes teh-ploh-tah?)

465. Do you like sunny or cloudy days better?
Máš radšej slnečné alebo zamračené dni?
(Mahsh rah-dshey slneh-chneh ah-leh-boh zahm-rah-cheh-neh dnee?)

466. Have you ever seen a snowstorm like this?
Videl si už niekedy takúto snehovú búrku?
(Vee-del see oozh nee-keh-dy tah-koo-toh sneh-oh-voo boor-koo?)

467. Is it always this humid here?
Je tu vždy takto vlhké?
(Yeh too vzhd-y tahk-toh vlah-kheh?)

468. Did you get caught in that thunderstorm yesterday?
Dostal si sa včera do tej búrky?
(Dohs-tahl see sah vcheh-rah doh tay boor-kee?)

469. What's the weather like in your hometown?
Aké je počasie vo tvojom rodnom meste?
(Ah-keh yeh poh-chah-sye vo tvoh-yohm rohd-nohm mehs-teh?)

470. I can't stand the wind; how about you?
Neznášam vietor; a ty?
(Nehz-nah-sham veeh-tor; ah tee?)

471. Is it true the winters here are mild?
Je pravda, že tu sú zimy mierne?
(Yeh prahv-dah, zheh too soo zee-mee myehr-neh?)

472. Do you like beach weather?
Máš rád plážové počasie?
(Mahsh rahd plah-zhoh-veh poh-chah-sye?)

473. How do you cope with the humidity in summer?
Ako sa vysporiadaš s vlhkosťou v lete?
(Ah-koh sah vys-poh-ree-ah-dahsh s vlh-kohs-tyoo v leh-teh?)

Hobbies

474. What are your hobbies or interests?
Aké sú tvoje záľuby alebo záujmy?
(Ah-keh soo tvoh-yeh zah-loo-bee ah-leh-boh zah-ooj-mee?)

475. Do you play any musical instruments?
Hráš na nejaké hudobné nástroje?
(Hrahsh nah neh-yah-keh hoo-dob-neh nah-stro-yeh?)

476. Have you ever tried painting or drawing?
Skúsil si už maľovať alebo kresliť?
(Skoo-seel see oozh mah-loh-vah-t aleh-boh kreh-sleet?)

477. Are you a fan of sports?
Si fanúšikom športu?
(See fah-noo-shee-kohm shpohr-too?)

478. Do you enjoy cooking or baking?
Máš rád varenie alebo pečenie?
(Mahsh rahd vah-reh-nyeh ah-leh-boh peh-cheh-nyeh?)

479. Are you into photography?
Zaujíma ťa fotografia?
(Zow-ee-mah tya fo-toh-grah-fee-ah?)

480. Have you ever tried gardening?
Skúsil/a si už záhradkárčenie?
(Skoo-seel/ah see oozh zahr-hahd-kar-chen-yeh?)

481. Do you like to read in your free time?
Rád/a čítaš vo voľnom čase?
(Rahd/ah chee-tash vo vol-nom chah-seh?)

482. Have you explored any new hobbies lately?
Objavil/a si nedávno nejaké nové záľuby?
(Ob-ya-veel/ah see neh-dahv-no neh-yah-keh noh-veh zah-loo-bee?)

483. Are you a collector of anything?
Zbieraš niečo?
(Zbee-rahsh nee-eh-cho?)

484. Do you like to watch movies or TV shows?
Pozeraš rád/a filmy alebo TV seriály?
(Poh-zeh-rash rahd/ah feel-mee ah-leh-boh TV seh-ree-ah-lee?)

485. Have you ever taken up a craft project?
Začal/a si už s nejakým remeselným projektom?
(Zah-chahl/ah see oozh s neh-yah-keem reh-meh-sel-neem proh-yek-tohm?)

> **Idiomatic Expression:** "Hrať na dve strany."
> Meaning: "To play both sides."
> (Literal translation: "To play on two sides.")

Interests

486. What topics are you passionate about?
      Ktorým témam sa vášnivo venuješ?
      (Ktoh-reem teh-mahm sah vah-shnee-vo veh-noo-yehsh?)

487. Are you involved in any social causes?
      Zapájaš sa do nejakých spoločenských príčin?
      (Zah-pah-yahsh sah doh neh-yah-keeh spoh-loh-chen-skeehch preh-cheen?)

488. Do you enjoy learning new languages?
      Baví ťa učiť sa nové jazyky?
      (Bah-vee tya oo-cheet sah noh-veh yah-zee-kee?)

489. Are you into fitness or wellness?
      Zaujíma ťa fitness alebo wellness?
      (Zow-ee-mah tya feet-ness ah-leh-boh vehl-ness?)

490. Are you a technology enthusiast?
      Si nadšenec/nadšenkyňa technológií?
      (See nahd-sheh-nets/nahd-sheh-nee-nya teh-hnoh-loh-gee-ee?)

491. What's your favorite genre of books or movies?
      Aký žáner kníh alebo filmov máš najradšej?
      (Ah-kee zhah-ner k-nee-h ah-leh-boh feel-mov mahsh nai-rah-dshey?)

492. Do you follow current events or politics?
      Sleduješ aktuálne udalosti alebo politiku?
      (Sleh-doo-yehsh ahk-too-ahl-neh oo-dah-lohs-tee ah-leh-boh poh-lee-tee-koo?)

493. Are you into fashion or design?
Zaujíma ťa móda alebo dizajn?
(Zow-yee-mah tyah moh-dah ah-leh-boh dee-zine?)

494. Are you a history buff?
Si nadšenec pre históriu?
(See nahd-sheh-nets preh hee-stoh-ree-oo?)

495. Have you ever been involved in volunteer work?
Už si niekedy pracoval/a ako dobrovoľník/čka?
(Oozh see nee-keh-dy prah-coh-vahl/ah ah-koh doh-broh-vohln-eek/chkah?)

496. Are you passionate about cooking or food culture?
Si vášnivý/á za varenie alebo potravinovú kultúru?
(See vahsh-neevy/ah zah vah-reh-nee-eh ah-leh-boh poh-tra-vee-noh-voo kool-too-roo?)

497. Are you an advocate for any specific hobbies or interests?
Propaguješ nejaké konkrétne záľuby alebo záujmy?
(Proh-pah-goo-yesh neh-yah-keh kohn-kreh-tneh zah-loo-bee ah-leh-boh zah-ooy-mee?)

> **Idiomatic Expression:** "Kopať proti vlastným."
> Meaning: "To sabotage one's own efforts."
> (Literal translation: "To kick against one's own.")

Making Plans

498. Would you like to grab a coffee sometime?
Dal/a by si si kávu niekedy?
(Dahl/ah bee see see kah-voo nee-keh-dy?)

499.   Let's plan a dinner outing this weekend.
Naplánujme si večeru tento víkend.
(Nah-plah-nooy-meh see veh-cheh-roo tehn-toh vee-kend.)

500.   How about going to a movie on Friday night?
Čo takto ísť v piatok večer do kina?
(Choh tahk-toh eesht v pee-ah-tohk veh-chehr doh kee-nah?)

501.   Do you want to join us for a hike next weekend?
Chceš sa k nám pridať na túru budúci víkend?
(Kheh-sh sah k nahm pree-daht nah too-roo boo-doo-tsee vee-kend?)

502.   We should organize a game night soon.
Mali by sme čoskoro zorganizovať herný večer.
(Mah-lee bee smeh choh-skoh-roh zor-gah-nee-zoh-vaht hehr-ny veh-chehr.)

503.   Let's catch up over lunch next week.
Stretnime sa pri obede budúci týždeň.
(Streh-tee-nee-meh sah pree oh-beh-deh boo-doo-tsee tee-zhdehn.)

504.   Would you be interested in a shopping trip?
Mal/a by si záujem o nákupný výlet?
(Mahlah bee see zow-yehm oh nah-koo-pny vee-leht?)

505.   I'm thinking of visiting the museum; care to join?
Uvažujem o návšteve múzea; máš záujem pridať sa?
(Oo-vah-zhoo-yehm oh nahv-shteh-veh moo-zeh-ah; mahsh zow-yehm pree-daht sah?)

506.   How about a picnic in the park?
       Čo tak piknik v parku?
       (Choh tak peek-neek v par-koo?)

       Fun Fact: Slovak, like other Slavic languages, uses the case system for nouns, pronouns, and adjectives.

507.   Let's get together for a study session.
       Stretnime sa na učebné stretnutie.
       (Streh-tee-mee-meh sah nah oo-cheb-neh streh-tnoo-tee-eh.)

508.   We should plan a beach day this summer.
       Mali by sme naplánovať deň na pláži toto leto.
       (Mah-lee bee smeh nah-plah-noh-vahť dyehn nah plah-zhee toh-toh leh-toh.)

509.   Want to come over for a barbecue at my place?
       Chceš prísť na grilovačku ku mne?
       (Kheh-sh prist nah greel-oh-vach-koo koo mneh?)

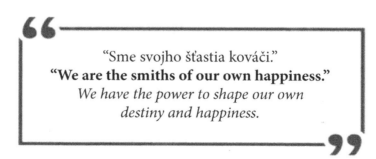

"Sme svojho šťastia kováči."
"We are the smiths of our own happiness."
*We have the power to shape our own
destiny and happiness.*

Interactive Challenge: Everyday Conversations
(Link each English word with their corresponding meaning in Slovak)

1) Conversation	Diskusia
2) Greeting	Komunikácia
3) Question	Dialóg
4) Answer	Otázka
5) Salutation	Výmena Názorov
6) Communication	Odpoveď
7) Dialogue	Jazyk
8) Small Talk	Pozdrav
9) Discussion	Neformálny Rozhovor
10) Speech	Výraz
11) Language	Nezáväzný Rozhovor
12) Exchange of Opinions	Rozhovor
13) Expression	Zdieľanie Nápadov
14) Casual Conversation	Prejav
15) Sharing Ideas	Pozdrav

Correct Answers:

1. Conversation - Rozhovor
2. Greeting - Pozdrav
3. Question - Otázka
4. Answer - Odpoveď
5. Salutation - Pozdrav
6. Communication - Komunikácia
7. Dialogue - Dialóg
8. Small Talk - Nezáväzný Rozhovor
9. Discussion - Diskusia
10. Speech - Prejav
11. Language - Jazyk
12. Exchange of Opinions - Výmena Názorov
13. Expression - Výraz
14. Casual Conversation - Neformálny Rozhovor
15. Sharing Ideas - Zdieľanie Nápadov

BUSINESS & WORK

- INTRODUCING YOURSELF IN A PROFESSIONAL SETTING -
- DISCUSSING WORK-RELATED TOPICS -
- NEGOTIATING BUSINESS DEALS OR CONTRACTS -

Professional Introductions

510. Hi, I'm [Your Name].
Ahoj, som [Tvoje Meno].
(Ah-hoy, som [Tvo-yeh Meh-no].)

511. What do you do for a living?
Čím sa živíš?
(Cheem sah zhee-veesh?)

512. What's your role in the company?
Aká je tvoja úloha v spoločnosti?
(Ah-kah yeh tvo-yah oo-lo-ha v spo-loch-nos-tee?)

513. Can you tell me about your background?
Môžeš mi povedať o tvojom pozadí?
(Moh-zhesh mee po-veh-daht' o tvo-yom po-zah-dee?)

514. Are you familiar with our team?
Poznáš náš tím?
(Poz-nash nahsh teem?)

515. May I introduce myself?
Môžem sa predstaviť?
(Moh-zhem sah prehd-stah-veet'?)

516. I work in [Your Department].
Pracujem v [Tvojom Oddelení].
(Prah-tsoo-yehm v [Tvo-yom Od-deh-leh-nee].)

517. How long have you been with the company?
Ako dlho už ste v spoločnosti?
(Ah-ko dlho uzh steh v spo-loch-nos-tee?)

518.   This is my colleague, [Colleague's Name].
       Toto je môj kolega, [Meno Kolegu].
       (Toh-toh yeh mozh ko-leh-gah, [Meh-no Ko-leh-goo].)

519.   Let me introduce you to our manager.
       Dovoľte mi predstaviť vám nášho manažéra.
       (Doh-vohl-teh mee prehd-stah-veet' vahm nah-shho mah-nah-zheh-rah.)

> **Travel Story:** At a traditional Slovak wedding, a guest
> observed, "Láska a tanec, to je slovenská svadba,"
> meaning "Love and dance, that's a Slovak wedding,"
> highlighting the joyous and lively celebrations.

Work Conversations

520.   Can we discuss the project?
       Môžeme diskutovať o projekte?
       (Moh-zheh-meh dees-koo-toh-vaht' o pro-yek-teh?)

521.   Let's go over the details.
       Prejdime si detaily.
       (Prey-dih-meh see deh-tah-lee.)

522.   What's the agenda for the meeting?
       Aký je program stretnutia?
       (Ah-kee yeh proh-gram streh-too-tee-ah?)

523.   I'd like your input on this.
       Rád by som počul tvoj názor na to.
       (Rahd bee som po-chul tvo-yeh nah-zor nah toh.)

524. We need to address this issue.
Musíme riešiť tento problém.
(Moo-ssee-meh rye-sheeat' ten-toh proh-blehm.)

525. How's the project progressing?
Ako postupuje projekt?
(Ah-koh po-stoo-poo-yeh pro-yekt?)

526. Do you have any updates for me?
Máš nejaké novinky pre mňa?
(Mahsh neh-yah-keh noh-vin-kee preh mnya?)

527. Let's brainstorm some ideas.
Poďme spoločne hľadať nápady.
(Pod-meh spoh-loch-neh hlah-daat' nah-pah-dy.)

528. Can we schedule a team meeting?
Môžeme naplánovať tímové stretnutie?
(Moh-zheh-meh nah-plah-no-vaat' teeh-moh-veh streh-too-tee-yeh?)

529. I'm open to suggestions.
Som otvorený návrhom.
(Som ot-voh-rehn-ee nah-vr-hohm.)

Business Negotiations

530. We need to negotiate the terms.
Musíme rokovať o podmienkach.
(Moo-ssee-meh roh-koh-vaht' o pod-mee-en-kahch.)

531.   What's your offer?
       Aká je vaša ponuka?
       (Ah-kah yeh vah-shah poh-noo-kah?)

532.   Can we find a middle ground?
       Môžeme nájsť strednú cestu?
       (Moh-zheh-meh nighsht' strehd-noo tseh-stoo?)

                Idiomatic Expression: "Mať niekoho na muške."
                Meaning: "To target someone."
                (Literal translation: "To have someone on the sight.")

533.   Let's discuss the contract.
       Poďme prediskutovať zmluvu.
       (Pod-meh preh-dees-koo-toh-vaht' zmloo-voo.)

534.   Are you flexible on the price?
       Ste flexibilní na cene?
       (Steh flek-see-beel-nee nah tseh-neh?)

535.   I'd like to propose a deal.
       Rád by som navrhol dohodu.
       (Rahd bee som nah-vr-hohl doh-hoh-doo.)

536.   We're interested in your terms.
       Zaujímajú nás vaše podmienky.
       (Zow-yee-mah-yoo nahs vah-sheh pod-mee-en-kee.)

537.   Can we talk about the agreement?
       Môžeme hovoriť o dohode?
       (Moh-zheh-meh hoh-vo-reet' o doh-hoh-deh?)

                Fun Fact: Slovakia's national symbol is the double cross,
                featured on its coat of arms.

538. Let's work out the details.
      Vypracujme detaily.
      (Vee-prah-cooj-meh deh-tah-lee.)

539. What are your conditions?
      Aké sú vaše podmienky?
      (Ah-keh soo vah-sheh pod-mee-en-kee?)

540. We should reach a compromise.
      Mali by sme dosiahnuť kompromis.
      (Mah-lee bee smeh doh-see-ah-nooť kom-proh-mees.)

> **Fun Fact:** The first known written mention of the Slovak language dates back to the 9th century.

Workplace Etiquette

541. Remember to be punctual.
      Nezabudnite byť presní.
      (Neh-zah-boo-dnee-teh beeť preh-snee.)

542. Always maintain a professional demeanor.
      Vždy si udržiavajte profesionálny prístup.
      (Vzh-dy see oo-drzh-ya-vai-teh pro-fe-syo-nahl-nee prees-toop.)

543. Respect your colleagues' personal space.
      Rešpektujte osobný priestor kolegov.
      (Reh-shehk-too-yteh oh-sohb-nee pree-stor koh-leh-gohv.)

> **Fun Fact:** Spiš Castle is one of the largest castle complexes in Central Europe and a UNESCO site.

544. Dress appropriately for the office.
Oblečte sa vhodne do kancelárie.
(Oh-blehch-teh sah v-hod-neh doh kan-tseh-lah-ree-eh.)

545. Follow company policies and guidelines.
Dodržujte firemné politiky a usmernenia.
(Doh-drzh-oo-yteh fee-rehm-neh poh-lee-teek-ee ah oo-smer-neh-ya.)

546. Use respectful language in conversations.
Používajte úctivý jazyk v rozhovoroch.
(Poh-zhee-vai-teh ooct-ee-vee yah-zihk v roh-zhoh-voh-rohch.)

547. Keep your workspace organized.
Udržujte svoje pracovisko organizované.
(Oo-drzh-oo-yteh svo-yeh prah-coh-vees-koh or-gah-nee-zoh-vah-neh.)

548. Be mindful of office noise levels.
Buďte vnímaví na úroveň hluku v kancelárii.
(Bood-teh vnee-mah-vee nah oo-roh-vehn hloo-koo v kan-tseh-lah-ree.)

549. Offer assistance when needed.
Ponúknite pomoc, keď je potrebná.
(Poh-noo-knee-teh poh-mots, keď yeh poh-treb-nah.)

550. Practice good hygiene at work.
Dodržiavajte dobrú hygienu v práci.
(Doh-drzh-yah-vai-teh doh-broo hee-gyeh-noo v prah-tsee.)

551. Avoid office gossip and rumors.
Vyhnite sa kancelárskym klebetám a fámam.
(Vee-hnee-teh sah kan-tse-lahr-skeem kleh-beh-tahm ah fah-mahm.)

Job Interviews

552. Tell me about yourself.
Povedz mi o sebe.
(Poh-vedz mee oh seh-beh.)

553. What are your strengths and weaknesses?
Aké sú vaše silné stránky a slabiny?
(Ah-keh soo vah-sheh seel-neh strahn-kee ah slah-bee-nee?)

554. Describe your relevant experience.
Opíšte svoje príslušné skúsenosti.
(Oh-pee-shteh svo-yeh pree-sloosh-neh skoo-seh-nos-tee.)

555. Why do you want to work here?
Prečo chcete pracovať tu?
(Preh-choh khceh-teh prah-coh-vaht too?)

556. Where do you see yourself in five years?
Kde sa vidíte o päť rokov?
(Kdeh sah vee-dee-teh oh paht roh-kov?)

557. How do you handle challenges at work?
Ako zvládate výzvy v práci?
(Ah-koh zvlah-dah-teh veez-vee v prah-tsee?)

558. What interests you about this position?
Čo vás zaujíma o tejto pozícii?
(Choh vahs zow-yee-mah oh tay-toh poh-zee-tsee?)

559. Can you provide an example of your teamwork?
Môžete dať príklad vášho tímového práce?
(Moh-zheh-teh daht pree-klahd vah-shoh teem-oh-veh-hoh prah-tseh?)

560. What motivates you in your career?
Čo vás motivuje vo vašej kariére?
(Choh vahs moh-tee-voo-yeh voh vah-shey kah-ree-eh-reh?)

561. Do you have any questions for us?
Máte nejaké otázky pre nás?
(Mah-teh neh-yah-keh oh-tahz-kee preh nahs?)

562. Thank you for considering me for the role.
Ďakujem, že ste ma zvážili pre túto úlohu.
(Dyah-koo-yem, zheh steh mah zvah-zhee-lee preh too-toh oo-loh-hoo.)

Office Communication

563. Send me an email about it.
Pošlite mi email o tom.
(Poh-shlee-teh mee ee-mayl oh tohm.)

564. Let's schedule a conference call.
Naplánujme konferenčný hovor.
(Nah-plah-nooy-meh kohn-feh-rench-nee hoh-vor.)

565. Could you clarify your message?
Môžete objasniť vašu správu?
(Moh-zheh-teh ob-yas-neet vah-shoo sprah-voo?)

566.   I'll forward the document to you.
       Pošlem vám dokument.
       (Poh-shlem vahm dok-u-ment.)

567.   Please reply to this message.
       Prosím, odpovedajte na túto správu.
       (Proh-seem, od-poh-veh-dai-teh nah too-toh sprah-voo.)

568.   We should have a team meeting.
       Mali by sme mať tímové stretnutie.
       (Mah-lee bee smeh maht tee-moh-veh stret-noo-tee-eh.)

             Idiomatic Expression: "Mať čisté svedomie."
             Meaning: "To have a clear conscience."
             (Literal translation: "To have a clean conscience.")

569.   Check your inbox for updates.
       Skontrolujte svoju schránku pre aktualizácie.
       *(Skon-troh-looy-teh svo-yoo skhrahn-koo preh
       ak-too-ah-lee-zah-tsee-eh.)*

570.   I'll copy you on the correspondence.
       Skopírujem vás na korešpondenciu.
       (Skoh-pee-roo-yem vahs nah koh-reh-shpon-den-tsee-oo.)

571.   I'll send you the meeting agenda.
       Pošlem vám program stretnutia.
       (Poh-shlem vahm proh-gram stret-noo-tee-ah.)

572.   Use the internal messaging system.
       Použite vnútorný správový systém.
       (Poh-zhee-teh vnoo-tor-nee sprah-voh-vee see-stehm.)

573.   Keep everyone in the loop.
       Informujte všetkých o priebehu.
       (Een-for-mooy-teh vshet-keekh o pree-eh-beh-hoo.)

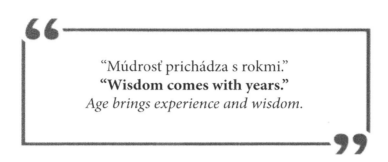

"Múdrosť prichádza s rokmi."
"Wisdom comes with years."
Age brings experience and wisdom.

Cross Word Puzzle: Business & Work

(Provide the English translation for the following Slovak words)

Across

2. - ZAMESTNANCI
3. - PROJEKT
7. - PODNIKANIE
8. - TÍM
10. - SLUŽBA
11. - PRODUKT
12. - ZÁKAZNÍK
14. - MANAŽÉR

Down

1. - PRÍJMY
4. - KANCELÁRIA
5. - PRÁCE
6. - ZMLUVA
9. - MARKETING
13. - PLAT

Correct Answers:

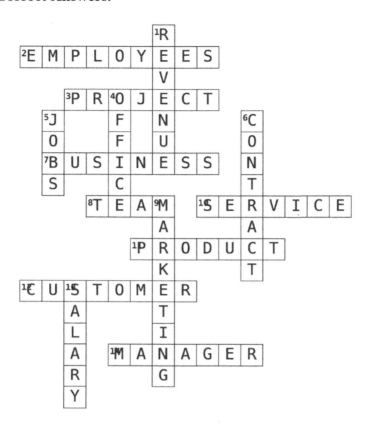

EVENTS & ENTERTAINMENT

- BUYING TICKETS FOR CONCERTS, MOVIES OR EVENTS -
- DISCUSSING ENTERTAINMENT & LEISURE ACTIVITIES -
- EXPRESSING JOY OR DISAPPOINTMENT WITH AN EVENT -

Ticket Purchases

574. I'd like to buy two tickets for the concert.
Rád by som kúpil dve vstupenky na koncert.
(Rahd bee sohm koo-peel dvay vs-too-pen-kee nah kon-tsert.)

575. Can I get tickets for the movie tonight?
Môžem dostať vstupenky na dnešný film?
(Moh-zhem dohs-taht vs-too-pen-kee nah dneh-shnee feelm?)

576. We need to book tickets for the upcoming event.
Potrebujeme rezervovať vstupenky na nadchádzajúcu udalosť.
(Poh-treh-boo-yeh-meh reh-zer-voh-vaht vs-too-pen-kee nah nahd-khah-dzah-yoo-tsoo oo-dah-lohs-ty.)

577. What's the price of admission?
Aká je cena vstupného?
(Ah-kah yeh tseh-nah vs-too-pneh-hoh?)

578. Do you offer any discounts for students?
Ponúkate nejaké zľavy pre študentov?
(Poh-noo-kah-teh neh-yah-keh zhlah-vee preh shtoo-den-tohv?)

579. Are there any available seats for the matinee?
Sú dostupné miesta na matiné?
(Soo dohs-toop-neh mee-es-tah nah mah-tee-neh?)

580. How can I purchase tickets online?
Ako môžem kúpiť vstupenky online?
(Ah-koh moh-zhem koo-peet vs-too-pen-kee ohn-line?)

581. Is there a box office nearby?
Je tu v blízkosti pokladňa?
(Yeh too v bleez-koh-stee poh-kla-dnya?)

582. Are tickets refundable if I can't attend?
Sú vstupenky vratné, ak sa nemôžem zúčastniť?
(Soo vs-too-pen-kee vraht-neh, ahk sah neh-moh-zhem zoo-cha-stneet?)

583. Can I choose my seats for the show?
Môžem si vybrať miesta na predstavenie?
(Moh-zhem see vee-braht mee-es-tah nah prehd-stah-veh-nee-eh?)

584. Can I reserve tickets for the theater?
Môžem rezervovať vstupenky do divadla?
(Moh-zhem reh-zer-voh-vaht vs-too-pen-kee doh dee-vahd-lah?)

585. How early should I buy event tickets?
Ako skoro by som mal kúpiť vstupenky na udalosť?
(Ah-koh skoh-roh bee sohm mahl koo-peet vs-too-pen-kee nah oo-dah-lohs-ty?)

586. Are there any VIP packages available?
Sú dostupné nejaké VIP balíčky?
(Soo dohs-toop-neh neh-yah-keh VIP bah-leech-kee?)

587. What's the seating arrangement like?
Aké je usporiadanie sedadiel?
(Ah-keh yeh oos-poh-ree-ah-dah-nyeh seh-dah-dyel?)

> **Idiomatic Expression:** "Zaliať niečo vodou."
> Meaning: "To let bygones be bygones."
> (Literal translation: "To pour water over something.")

588. Is there a family discount for the movie?
Je tu rodinná zľava na film?
(Yeh too roh-dee-nah zhlah-vah nah feelm?)

589. I'd like to purchase tickets for my friends.
Rád by som kúpil vstupenky pre mojich priateľov.
(Rahd bee sohm koo-peel vs-too-pen-kee preh moy-kheeh pree-ah-teh-lohv.)

> **Fun Fact:** The Slovak Paradise National Park features stunning gorges, waterfalls, and caves.

590. Do they accept credit cards for tickets?
Prijímajú kreditné karty na vstupenky?
(Pree-yee-mah-yoo kreh-deet-neh kar-tee nah vs-too-pen-kee?)

591. Are there any age restrictions for entry?
Existujú nejaké vekové obmedzenia pre vstup?
(Eks-ees-too-yoo neh-yah-keh veh-koh-veh ob-meh-dzen-yah preh vs-toop?)

592. Can I exchange my ticket for a different date?
Môžem vymeniť moju vstupenku za iný dátum?
(Moh-zhem vee-meh-neet mo-yoo vs-too-pen-koo zah ee-nee dah-toom?)

Leisure Activities

593. What do you feel like doing this weekend?
Čo by ste chceli robiť tento víkend?
(Choh bee shteh khcheh-lee roh-beet tehn-toh vee-kend?)

594.   Let's discuss our entertainment options.
        Poďme diskutovať o našich možnostiach zábavy.
        (Poh-dmeh dees-koo-toh-vaht oh nah-sheeh mohzh-nohs-tyahch zah-bah-vee.)

>   **Fun Fact:** The currency of Slovakia is the Euro, adopted on January 1, 2009.

595.   I'm planning a leisurely hike on Saturday.
        Plánujem pokojnú túru v sobotu.
        (Plah-noo-yem poh-koy-noo too-roo v soh-boh-too.)

596.   Do you enjoy outdoor activities like hiking?
        Máte radi vonkajšie aktivity ako turistika?
        (Mah-teh rah-dee von-kai-shee ak-tee-vee-tee ah-koh too-ree-stee-kah?)

597.   Have you ever tried indoor rock climbing?
        Skúsili ste už lezenie na skalách v interiéri?
        (Skoo-see-lee steh ooz leh-ze-nee-e nah skah-lahch v in-teh-ree-ehree?)

598.   I'd like to explore some new hobbies.
        Rád by som skúmal nové záľuby.
        (Rahd bee sohm skoo-mahl noh-veh zah-loo-bee.)

599.   What are your favorite pastimes?
        Aké sú vaše obľúbené záľuby?
        (Ah-keh soo vah-sheh ob-loo-beh-neh zah-loo-bee?)

>   **Cultural Insight:** The Slovak language is known for its complexity and richness, particularly in its use of diminutives, which express affection or familiarity.

600. Are there any interesting events in town?
Sú v meste nejaké zaujímavé udalosti?
(Soo v meh-steh neh-yah-keh zow-yee-mah-veh oo-dah-lohs-tee?)

601. Let's check out the local art exhibition.
Pozrime sa na miestnu umeleckú výstavu.
(Poh-zree-meh sah nah mee-est-noo oo-me-leh-ts-koo vee-stah-voo.)

602. How about attending a cooking class?
Čo tak navštíviť varenie?
(Choh tahk nah-vsh-tee-veet vah-reh-nee-eh?)

603. Let's explore some new recreational activities.
Skúsme objaviť nejaké nové rekreačné aktivity.
(Skoo-smeh ob-yah-veet neh-yah-keh noh-veh reh-kreh-ach-neh ak-tee-vih-tee?)

604. What's your go-to leisure pursuit?
Aká je tvoja obľúbená voľnočasová aktivita?
(Ah-kah yeh tvoy-yah ob-loo-beh-nah voh-lnoh-cha-soh-vah ak-tee-vee-tah?)

605. I'm considering trying a new hobby.
Uvažujem o vyskúšaní nového koníčka.
(Oo-vah-zhoo-yehm oh vee-skoo-shah-nee noh-veh-hoh koh-nee-chkah.)

606. Have you ever attended a painting workshop?
Bol si už na maľovacom workshope?
(Bohl see ooz nah mah-loh-vah-com work-shop-eh?)

> **Fun Fact:** The world's first underground cable car was built in 1930 in Slovakia, at the High Tatras.

607. What's your favorite way to unwind?
Aký je tvoj obľúbený spôsob relaxácie?
(Ah-kee yeh tvoy ob-loo-beh-nee spoh-sohb reh-lahx-ah-tsee-eh?)

608. I'm interested in joining a local club.
Mám záujem o vstup do miestneho klubu.
(Mahm zow-yehm oh vstoop doh mee-est-neh-hoh klo-boo.)

609. Let's plan a day filled with leisure.
Naplánujme deň plný relaxácie.
(Nah-plah-nooy-meh deh-ny pl-nee reh-lahx-ah-tsee-eh.)

610. Have you ever been to a live comedy show?
Bol si už na živej komédii?
(Bohl see ooz nah zhee-veh-y kom-eh-dee-ee?)

611. I'd like to attend a cooking demonstration.
Rád by som sa zúčastnil varenia.
(Rahd bee sohm sah zoo-cha-st-neel vah-reh-nee-ah.)

> **Fun Fact:** The first steam engine car in Hungary and Slovakia was built by Jozef Božetech Klemens in 1787.

Event Reactions

612. That concert was amazing! I loved it!
Ten koncert bol úžasný! Bol mi veľmi páči!
(Ten kon-tsert bohl oo-zah-snee! Bohl mee veh-ly mee pah-chee!)

613. I had such a great time at the movie.
Na filme som sa mal úžasne.
(Nah fee-meh sohm sah mahl oo-zahs-neh.)

614. The event exceeded my expectations.
Podujatie prekročilo moje očakávania.
(Po-duh-ya-tee-eh preh-kroh-chee-loh moh-yeh oh-chah-kah-vah-nee-ah.)

615. I was thrilled by the performance.
Predstavenie ma nadchlo.
(Prehd-stah-veh-nee-eh mah nahd-hloh.)

616. It was an unforgettable experience.
Bolo to nezabudnuteľné zážitok.
(Boh-loh toh neh-zah-boo-dnoo-tehl-neh zah-zhih-tohk.)

617. I can't stop thinking about that show.
Nemôžem prestať myslieť na tú šou.
(Neh-moh-zehm preh-staht mee-slee-tyeh nah too show.)

618. Unfortunately, the event was a letdown.
Žiaľ, podujatie bolo sklamaním.
(Zhee-ahl, po-duh-ya-tee-eh boh-loh sklah-mah-nee-m.)

619. I was disappointed with the movie.
Film ma sklamal.
(Feel-m mah sklah-mahl.)

620. The concert didn't meet my expectations.
Koncert nesplnil moje očakávania.
(Kohn-cert neh-spl-neel moh-yeh oh-chah-kah-vah-nee-ah.)

621. I expected more from the exhibition.
Od výstavy som očakával viac.
(Odh vee-stah-vih sohm oh-chah-kah-vahl vee-ahc.)

622. The event left me speechless; it was superb!
Podujatie ma nechalo bez slov; bolo to vynikajúce!
(Po-duh-ya-tee-eh mah neh-khah-loh behz slohv; boh-loh toh vee-nee-kah-yoo-tseh!)

623. I was absolutely thrilled with the performance.
S predstavením som bol úplne nadšený.
(S prehd-stah-veh-nee-m sohm bohl oop-lneh nahd-sheh-nee.)

624. The movie was a pleasant surprise.
Film bol príjemným prekvapením.
(Feel-m bohl pree-yehm-nee-m preh-kvah-peh-neem.)

625. I had such a blast at the exhibition.
Na výstave som si to neskutočne užil.
(Nah vee-stah-veh sohm see toh neh-skoo-tohch-neh oo-zheel.)

626. The concert was nothing short of fantastic.
Koncert bol jednoducho fantastický.
(Kohn-cert bohl yehd-noh-doo-khoh fahn-tah-stee-keh.)

627. I'm still on cloud nine after the event.
Po podujatí som stále na deviatom nebi.
(Poh po-duh-ya-tee-eh sohm stah-leh nah deh-vyah-tohm neh-bee.)

> **Travel Story:** In the historical library of the Matej Bel University, a student said, "Knihy sú brány do iných svetov," which translates to "Books are gateways to other worlds," emphasizing the value of knowledge and imagination.

628. I was quite underwhelmed by the show.
Predstavenie ma veľmi neoslnilo.
(Prehd-stah-veh-nee-eh mah vehl-mee neh-oh-slee-nee-loh.)

629. I expected more from the movie.
Od filmu som očakával viac.
(Odh feel-moo sohm oh-chah-kah-vahl vee-ahc.)

630. Unfortunately, the exhibition didn't impress me.
Žiaľ, výstava ma neoslnila.
(Zhee-ahl, vee-stah-vah mah neh-oh-slee-nee-lah.)

> "Pomaly ďalej zájdeš."
> **"Slowly, you'll go further."**
> *Patience and steady progress lead to better results.*

Mini Lesson:
Basic Grammar Principles in Slovak #2

Introduction:

Continuing our exploration of Slovak grammar, we now focus on sentence structure, verb usage, and additional key aspects crucial for clear communication. Understanding these elements will significantly enhance your ability to both understand and express yourself in Slovak, paving the way for more advanced language acquisition.

1. Sentence Structure:

Slovak sentence structure typically follows a Subject-Verb-Object (SVO) order, similar to English. However, due to the inflectional nature of Slovak, the order can be flexible to emphasize different parts of the sentence without changing the meaning.

- *Ja jem raňajky. (I eat breakfast.)*
- *Jem raňajky? (Do I eat breakfast?)*
- *Zajtra jem raňajky skoro. (Tomorrow I eat breakfast early.)*

2. Verb Tenses:

Slovak verbs indicate time through different tenses: past, present, and future. The formation of these tenses is crucial for accurate communication.

- *Ja jem (I eat) - present*
- *Ja som jedol (I ate/have eaten) - past*
- *Budem jesť (I will eat) - future*

3. The Passive Voice:

The passive voice is formed using "byť" (to be) with the past participle and can change according to the tense. It indicates that the subject of the sentence is the receiver of the action.

- *Kniha je čítaná študentom. (The book is read by the student.)*
- *Dom bol postavený v 19. storočí. (The house was built in the 19th century.)*

4. Subordinate Clauses:

Slovak connects main and subordinate clauses with conjunctions, often moving the verb to the end of the subordinate clause.

- *Viem, že býva v Bratislave. (I know that he lives in Bratislava.)*
- *Povedala, že príde. (She said that she would come.)*

5. Infinitive Forms:

The infinitive form in Slovak often requires "za" or "pre" before the verb, similar to the English "to."

- *Mám rád plávať. (I like to swim.)*
- *Potrebuje spať. (She needs to sleep.)*

6. Adjectives:

In Slovak, adjectives agree with the noun in gender, number, and case. They precede the noun and must match in all attributes.

- *Veľký dom (a big house) - Indefinite*
- *Veľký dom (the big house) - Definite*

7. Reflexive Verbs:

Reflexive verbs in Slovak use "sa" to indicate that the action is performed by and affects the subject.

- *Umýva sa. (He washes himself.)*
- *Pripravujú sa na párty. (They are preparing themselves for the party.)*

Conclusion:

This lesson has introduced you to further essential components of Slovak grammar, enhancing your foundation for advanced proficiency. Practice and immersion remain key to mastering these new elements. Veľa šťastia! (Good luck!)

HEALTHCARE & MEDICAL NEEDS

- EXPLAINING SYMPTOMS TO A DOCTOR -
- REQUESTING MEDICAL ASSISTANCE -
- DISCUSSING MEDICATIONS AND TREATMENT -

Explaining Symptoms

631. I have a persistent headache.
Mám pretrvávajúcu bolesť hlavy.
(Mahm preh-trvah-vah-yoo-tsoo boh-lesht hlah-vih.)

632. My throat has been sore for a week.
Môj hrdlo je boľavé už týždeň.
(Moy hrd-lo yeh boh-lah-veh oozh tee-zdehn.)

633. I've been experiencing stomach pain and nausea.
Trpím bolesťou brucha a nevoľnosťou.
(Trpeem boh-les-tohoo broo-khah ah neh-vol-nos-tohoo.)

634. I have a high fever and chills.
Mám vysokú horúčku a zimnicu.
(Mahm vih-soh-koo hoh-rooch-koo ah zihm-nee-tsoo.)

635. My back has been hurting for a few days.
Môj chrbát bolí už niekoľko dní.
(Moy khrr-baht boh-lee oozh nee-eh-kohl-koh dnee.)

636. I'm coughing up yellow mucus.
Vykašliavam žltý hlien.
(Vi-ka-shlee-ah-vahm zhuhl-tee hlee-en.)

637. I have a rash on my arm.
Mám vyrážku na ruke.
(Mahm vih-rahzh-koo nah roo-keh.)

> **Fun Fact:** The Slovak language has three genders: masculine, feminine, and neuter.

638. I've been having trouble breathing.
Mám problémy s dýchaním.
(*Mahm proh-bleh-mih s dee-khah-neem.*)

639. I feel dizzy and lightheaded.
Cítim sa závratne a ľahko v hlave.
(*Tsee-teem sah zahv-raht-neh ah lyah-koh v hlah-veh.*)

640. My joints are swollen and painful.
Moje kĺby sú opuchnuté a bolestivé.
(*Moh-yeh kluh-bih soo oh-poo-khnoo-teh ah boh-lehs-tee-veh.*)

641. I've had diarrhea for two days.
Trpím hnačkou už dva dni.
(*Trpeem hnahch-koh oozh dvah dnee.*)

642. My eyes are red and itchy.
Moje oči sú červené a svrbiace.
(*Moh-yeh oh-chee soo cher-veh-neh ah svr-bee-ah-tseh.*)

643. I've been vomiting since last night.
Zvraciam od minulej noci.
(*Zvrah-tsyahm oht mee-noo-lehy noh-tsee.*)

644. I have a painful, persistent toothache.
Mám bolestivý a pretrvávajúci zubnú bolesť.
(*Mahm boh-lehs-tee-veeh ah preh-trvah-vah-yoo-tsee zoo-boo boh-lesht.*)

645. I'm experiencing fatigue and weakness.
Pociťujem únavu a slabosť.
(*Po-tsee-tyoo-yehm oo-nah-voo ah slah-bost.*)

646. I've noticed blood in my urine.
V mojej moči som si všimol(a) krv.
(V moy-ey moy-chee som see vshih-mohl(ah) krv.)

647. My nose is congested, and I can't smell anything.
Môj nos je upchatý a necítim nič.
(Moy nos yeh oop-kha-tee ah neh-tseh-teem neech.)

648. I have a cut that's not healing properly.
Mám rez, ktorý sa nehojí správne.
(Mahm rez, ktoh-ree sa neh-hoy-ee sprahv-neh.)

649. My ears have been hurting, and I can't hear well.
Bolia ma uši a nepočujem dobre.
(Boh-lee-ah mah oosh-ee ah neh-po-choo-yem doh-breh.)

650. I think I might have a urinary tract infection.
Myslím, že mám infekciu močových ciest.
(Mee-sleem zheh mahm in-fek-tsee-oo mo-choh-vihch tsyest.)

651. I've had trouble sleeping due to anxiety.
Mám problémy so spánkom kvôli úzkosti.
(Mahm proh-bleh-mee soh spahn-kom kvoh-lee ooz-kos-tee.)

Requesting Medical Assistance

652. I need to see a doctor urgently.
Naliehavo potrebujem vidieť lekára.
(Nah-lyeh-hah-vo poh-treh-boo-yehm vee-dyet leh-kah-rah.)

653. Can you call an ambulance, please?
Môžete zavolať záchranku, prosím?
(Moh-zheh-teh zah-voh-laht zah-khran-koo, proh-seem?)

> **Travel Story:** While tasting Bryndzové Halušky in a mountain cottage, a visitor exclaimed, "To je chuť Slovenska!" meaning "This is the taste of Slovakia!" celebrating the country's beloved national dish.

654. I require immediate medical attention.
Potrebujem okamžitú lekársku pomoc.
(Poh-treh-boo-yehm oh-kahm-zhee-too leh-kahr-skoo poh-mohts.)

655. Is there an available appointment today?
Je dnes dostupný nejaký termín?
(Yeh dnes dos-toop-nee neh-yah-kee tehr-meen?)

656. Please help me find a nearby clinic.
Pomôžte mi nájsť blízku kliniku, prosím.
(Poh-moh-zhteh mee nighsht blees-koo klee-nee-koo, proh-seem?)

657. I think I'm having a medical emergency.
Myslím, že mám zdravotnú núdzovú situáciu.
(Mee-sleem zheh mahm zdrah-vot-noo noo-dzoh-voo see-too-ah-tsee-oo.)

658. Can you recommend a specialist?
Môžete odporučiť špecialistu?
(Moh-zheh-teh od-poh-roo-cheet shpeh-tsee-ah-lees-too?)

659. I'm in severe pain; can I see a doctor now?
Som v silnej bolesti; môžem teraz vidieť doktora?
(Som v seel-ney boh-les-tee; moh-zhem teh-rahz vee-dyet dok-toh-rah?)

660. Is there a 24-hour pharmacy in the area?
Je v okolí 24-hodinová lekáreň?
(Yeh v oh-koh-lee dvah-dseht-shty-ree hoh-dee-noh-vah leh-kah-ren?)

661. I need a prescription refill.
Potrebujem doplniť recept.
(Poh-treh-boo-yehm doh-plnee-t reh-tsept.)

662. Can you guide me to the nearest hospital?
Môžete ma nasmerovať do najbližšej nemocnice?
(Moh-zheh-teh mah nah-sme-roh-vat doh nai-bleezh-shehy neh-mots-neet-seh?)

663. I've cut myself and need medical assistance.
Poranil(a) som sa a potrebujem lekársku pomoc.
(Poh-rah-neel(a) sohm sah ah poh-treh-boo-yehm leh-kahr-skoo poh-mots.)

664. My child has a high fever; what should I do?
Môj dieťa má vysokú horúčku; čo mám robiť?
(Moy dee-eh-tah mah vee-soh-koo hoh-rooch-koo; cho mahm roh-beet?)

665. Is there a walk-in clinic nearby?
Je v blízkosti ambulancia pre bezpredchádzajúce návštevy?
(Yeh v bleez-kohs-tee ahm-boo-lahn-tsee preh behz-preh-dhah-dz ah-yoo-tseh nahv-shteh-vih?)

666. I need medical advice about my condition.
Potrebujem lekársku radu o mojom stave.
(Poh-treh-boo-yehm leh-kahr-skoo rah-doo oh moy-ohm stah-veh.)

667. My medication has run out; I need a refill.
Moje lieky sa mi minuli; potrebujem doplniť.
(Moh-yeh lee-eh-kih sah mee mee-noo-lee; poh-treh-boo-yehm doh-plnee-t.)

668. Can you direct me to an eye doctor?
Môžete ma nasmerovať k očnému lekárovi?
(Moh-zheh-teh mah nah-sme-roh-vat k och-neh-moo leh-kah-roh-vee?)

669. I've been bitten by a dog; I'm concerned.
Psa ma uštipol; som znepokojený(a).
(Psoh mah oosh-tee-pohl; sohm zneh-poh-koy-yeh-nee(a).)

670. Is there a dentist available for an emergency?
Je k dispozícii zubár pre núdzové situácie?
(Yeh k dees-poh-zee-tsee zoo-bar preh noo-dzoh-veh see-too-ah-tsee-eh?)

671. I think I might have food poisoning.
Myslím, že mám otravu jedlom.
(Mee-sleem zheh mahm oh-trah-voo yeh-dlohm.)

672. Can you help me find a pediatrician for my child?
Môžete mi pomôcť nájsť pediatra pre moje dieťa?
(Moh-zheh-teh mee poh-mohtch nai-sht peh-dee-ah-tra preh moyeh dee-eh-tah?)

> **Idiomatic Expression:** "Stratiť hlavu."
> Meaning: "To lose one's head."
> (Literal translation: "To lose the head.")

Discussing Medications and Treatments

673.   What is this medication for?
         Na čo je toto liek?
         (Nah cho yeh toh-toh liek?)

674.   How often should I take this pill?
         Ako často mám užívať túto tabletku?
         (Ah-ko chas-toh mahm oo-zhi-vat too-toh tah-blet-koo?)

675.   Are there any potential side effects?
         Sú možné nejaké vedľajšie účinky?
         (Soo mozh-neh neh-yah-keh ved-lie-shee oo-cheen-kee?)

676.   Can I take this medicine with food?
         Môžem užívať tento liek s jedlom?
         (Moh-zhem oo-zhi-vat ten-toh liek s yed-lom?)

677.   Should I avoid alcohol while on this medication?
         Mám sa vyhýbať alkoholu počas užívania tohto lieku?
         *(Mahm sah vy-hi-bat al-ko-ho-loo poh-chas oo-zhi-va-niah
         toh-toh lie-koo?)*

678.   Is it safe to drive while taking this?
         Je bezpečné vodiť auto počas užívania tohto?
         *(Yeh behz-pech-neh vo-deet ah-toh poh-chas oo-zhi-va-niah
         toh-toh?)*

679.   Are there any dietary restrictions?
         Existujú nejaké diétné obmedzenia?
         (Eks-ee-stoo-yoo neh-yah-keh dyet-neh ob-med-zen-yah?)

680. Can you explain the dosage instructions?
Môžete vysvetliť pokyny na dávkovanie?
(Moh-zheh-teh viss-vet-leet po-kee-nee nah dahv-ko-va-nie?)

681. What should I do if I miss a dose?
Čo mám robiť, ak vynechám dávku?
(Cho mahm roh-beet, ak vee-neh-chahm dahv-koo?)

682. How long do I need to continue this treatment?
Ako dlho musím pokračovať v tejto liečbe?
(Ah-ko dlhoh moo-seem pok-rah-cho-vat v tye-toh liech-beh?)

683. Can I get a generic version of this medication?
Môžem dostať generickú verziu tohto lieku?
(Moh-zhem doh-stat geh-neh-reeck-oo ver-zee-yoo toh-toh lie-koo?)

684. Is there a non-prescription alternative?
Existuje alternatíva bez predpisu?
(Eks-ee-stoo-yeh al-ter-nah-tee-vah behz pred-pee-soo?)

685. How should I store this medication?
Ako by som mal skladovať tento liek?
(Ah-ko bee sohm mahl sklah-doh-vat ten-toh liek?)

686. Can you show me how to use this inhaler?
Môžete mi ukázať, ako používať tento inhalátor?
(Moh-zheh-teh mee oo-kah-zhat, ah-ko poo-zhi-vat ten-toh in-hah-lah-tor?)

687. What's the expiry date of this medicine?
Aký je dátum expirácie tohto lieku?
(Ah-kee yeh dah-toom eks-pee-rah-tsee-eh toh-toh lee-eh-koo?)

> **Fun Fact:** The wooden church of Hronsek, along with seven others in Slovakia, is a UNESCO World Heritage site for its unique wooden architecture.

688. Do I need to finish the entire course of antibiotics?
Musím dokončiť celý kurz antibiotík?
(Moo-seem doh-kon-cheet tseh-lee koors an-tee-bee-oh-tee-k?)

689. Can I cut these pills in half?
Môžem tieto tablety rozdeliť na polovicu?
(Moh-zhem tee-eh-toh tah-bleh-tee roz-deh-leet nah po-loh-vee-tsoo?)

690. Is there an over-the-counter pain reliever you recommend?
Odporúčate nejaké bezpredpisové lieky proti bolesti?
(Od-poh-roo-cha-teh neh-yah-keh bez-pred-pee-soh-veh lee-eh-kee proh-tee boh-les-tee?)

691. Can I take this medication while pregnant?
Môžem užívať tento liek počas tehotenstva?
(Moh-zhem ooh-zhee-vaht tehn-toh lee-ehk poh-chahs teh-ho-ten-stvah?)

692. What should I do if I experience an allergic reaction?
Čo mám robiť, ak mám alergickú reakciu?
(Cho mahm roh-beet, ahk mahm ah-ler-gee-skoo reh-ahk-see-yoo?)

> **Fun Fact:** The geographical center of Europe is located in the Slovak village of Kremnické Bane.

693. Can you provide more information about this treatment plan?
Môžete poskytnúť viac informácií o tomto pláne liečby?
(Moh-zheh-teh poh-skee-tnewt vee-ats een-for-mah-tsee-ee oh toh-mtoh plah-neh lee-ehch-bee?)

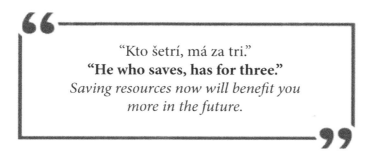

"Kto šetrí, má za tri."
"He who saves, has for three."
Saving resources now will benefit you more in the future.

Word Search Puzzle: Healthcare

HOSPITAL
NEMOCNICA
DOCTOR
LEKÁR
MEDICINE
LIEK
PRESCRIPTION
PREDPIS
APPOINTMENT
STRETNUTIE
SURGERY
CHIRURGIA
VACCINE
VAKCÍNA
PHARMACY
LEKÁREŇ
ILLNESS
CHOROBA
TREATMENT
LIEČBA
DIAGNOSIS
DIAGNÓZA
RECOVERY
ZOTAVENIE
SYMPTOM
PRÍZNAM
IMMUNIZATION
IMUNIZÁCIA

```
O G S E K V S P I O A W G Y M
Z O T A V E N I E L B F C R V
L A R G E B H A S H L A Q E P
R Z E Z R N T H S Y M N P H C
K Ó T Y F J I D J R M C E U U
K N N A K Q Q C A N C P Y S S
E G U N N X K H C H E T T K S
I A T Í E R P D O A O L V O C
L I I C M S X L H S V Z X H M
H D E K O B V D C B P H M O C
A G B A C A B Č E I L I V F Q
A A V V N P R E D P I S T D N
U Q U M I B Q V T H I N O A O
A V L N C W G R W A A Q N P L
T P Q M A N E N I N W P C R N
E R P K E A I C C D S D H Í O
B N R O T S Å D O K D Y O Z I
S Z I M I Z J C K M M I R N T
R I E C I N T R Å K E L O A A
A N S N I O T Y J T P I B M Z
T P U O R D R M L R T U A U I
R M A U N E E S E P Y L N M N
I V P K V G E M I N R K S G U
Q P O O O Q A R Y Y T U L I M
M Q C L J W C I G X R X U A M
A E Y X Z S U J D G F E T V I
R E O P E D Z V E T E O S Q B
I R Z R A I G R U R I H C S T
X N P A V C Y S T P L V Y Q M
L E K Á R E Ň M J X Z G H O P
```

Correct Answers:

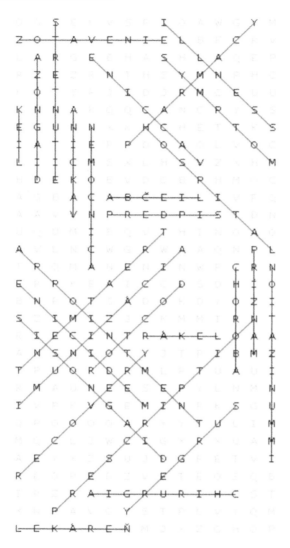

FAMILY & RELATIONSHIPS

- TALKING ABOUT FAMILY MEMBERS & RELATIONSHIPS -
- DISCUSSING PERSONAL LIFE & EXPERIENCES -
- EXPRESSING EMOTIONS & SENTIMENTS -

Family Members and Relationships

694. He's my younger brother.
Je to môj mladší brat.
(Yeh toh moy mlahd-shee braht.)

695. She's my cousin from my mother's side.
Je moja sesternica z matkinej strany.
(Yeh moy-yah sehs-ter-nee-tsah z maht-kee-ney strah-nee.)

696. My grandparents have been married for 50 years.
Moji starí rodičia sú manželmi už 50 rokov.
(Moy-yee stah-ree roh-dee-cha sooh mahn-zhel-mee ooz peh-deh-syat roh-kov.)

697. We're like sisters from another mister.
Sme ako sestry z iného otca.
(Sme ah-koh sehs-try z ee-neh-hoh oht-tsah.)

698. He's my husband's best friend.
Je najlepší priateľ môjho manžela.
(Yeh nai-lehp-shee pree-ah-tehl moy-ho mahn-zheh-lah.)

699. She's my niece on my father's side.
Je moja neter z otcovej strany.
(Yeh moy-yah neh-tehr z oht-tso-vey strah-nee.)

700. They are my in-laws.
Sú to moji svokrovci.
(Soo toh moy-yee svohk-rohv-tsee.)

701. Our family is quite close-knit.
      Naša rodina je veľmi zblížená.
      (*Nah-shah roh-dee-nah yeh vehl-mee zblee-zheh-nah.*)

702. He's my adopted son.
      Je to môj adoptovaný syn.
      (*Yeh toh moy ah-dop-toh-vah-nee seen.*)

703. She's my half-sister.
      Je to moja nevlastná sestra.
      (*Yeh toh moy-yah neh-vlahst-nah sehs-trah.*)

> **Travel Story:** On a boat crossing the Strbske Pleso lake, a guide mentioned, "Voda ako zrkadlo odzrkadľuje naše sny," translating to "Water like a mirror reflects our dreams," speaking to the serene beauty of Slovak nature.

704. My parents are divorced.
      Moji rodičia sú rozvedení.
      (*Moy-yee roh-dee-cha soo rohz-veh-deh-nee.*)

705. He's my fiancé.
      Je to môj snúbenec.
      (*Yeh toh moy snoo-beh-nets.*)

706. She's my daughter-in-law.
      Je to moja nevesta.
      (*Yeh toh moy-yah neh-veh-stah.*)

> **Idiomatic Expression:** "Liať vodu na svoj mlyn."
> Meaning: "To serve one's own interests."
> (Literal translation: "To pour water on one's mill.")

707.   We're childhood friends.
        Sme detstvo priatelia.
        (Sme deht-stvo pree-ah-teh-lee-ah.)

708.   My twin brother and I are very close.
        Môj dvojčatý brat a ja sme veľmi blízki.
        (Mohj dvoj-cha-tee braht ah yah sme vehl-mee blees-kee.)

709.   He's my godfather.
        On je môj krstný otec.
        (On yeh moj krs-tny o-tehts.)

710.   She's my stepsister.
        Ona je moja nevlastná sestra.
        (Oh-nah yeh mo-yah neh-vlah-stnah seh-strah.)

711.   My aunt is a world traveler.
        Moja teta je svetobežníčka.
        (Mo-yah teh-tah yeh sveh-toh-bezh-nee-cha.)

712.   We're distant relatives.
        Sme vzdialení príbuzní.
        (Sme vz-dee-ah-leh-nee pree-boo-znee.)

713.   He's my brother-in-law.
        On je môj švagor.
        (On yeh moj shvah-gor.)

714.   She's my ex-girlfriend.
        Ona je moja bývalá priateľka.
        (Oh-nah yeh mo-yah bee-vah-lah pree-ah-tehl-kah.)

Personal Life and Experiences

715. I've traveled to over 20 countries.
Cestoval som do viac ako 20 krajín.
(Tseh-stoh-vahl sohm doh vee-ats ah-koh dvah-deset kra-yeen.)

716. She's an avid hiker and backpacker.
Ona je vášnivá turistka a batohárka.
(Oh-nah yeh vahsh-nee-vah too-reest-kah ah bah-toh-hahr-kah.)

717. I enjoy cooking and trying new recipes.
Bavi ma varenie a skúšanie nových receptov.
(Bah-vee mah vah-reh-nee-eh ah skoo-shah-nee-eh noh-vee-kh reh-tseh-ptov.)

718. He's a professional photographer.
Je profesionálny fotograf.
(Yeh pro-feh-syo-nahl-nee foh-toh-grahf.)

719. I'm passionate about environmental conservation.
Som vášnivý ohľadom ochrany životného prostredia.
(Sohm vahsh-nee-vee oh-lah-dom oh-hrah-nee zhee-vot-neh-ho pro-streh-dyah.)

720. She's a proud dog owner.
Je hrdá majiteľka psa.
(Yeh hr-dah ma-yee-tehl-kah p-sah.)

721. I love attending live music concerts.
Milujem účasť na koncertoch naživo.
(Mee-loo-yem oo-chahst nah kohn-tsehr-tohkh nah-zhee-voh.)

722. He's an entrepreneur running his own business.
Je podnikateľ, ktorý vedie svoje podnikanie.
(Yeh pod-nee-kah-tehl, ktoh-ree veh-dyeh svo-yeh pod-nee-kah-nyeh.)

723. I've completed a marathon.
Dokončil som maratón.
(Doh-kohn-cheel sohm mah-rah-tón.)

724. She's a dedicated volunteer at a local shelter.
Je zapálená dobrovoľníčka v miestnom útulku.
(Yeh zah-pah-leh-nah doh-broh-vohl-neech-kah v myest-nohm oo-tool-koo.)

725. I'm a history buff.
Som nadšenec pre históriu.
(Sohm nahd-sheh-nets preh hee-stoh-ryoo.)

726. I'm a proud parent of three children.
Som hrdý rodič troch detí.
(Sohm hrd-ee roh-deech trohkh deh-tee.)

727. I've recently taken up painting.
Nedávno som začal maľovať.
(Neh-dahv-noh sohm zah-chahl mah-lyoh-vahť.)

728. She's a film enthusiast.
Je nadšenec pre filmy.
(Yeh nahd-sheh-nets preh feel-me.)

729. I enjoy gardening in my free time.
Vo voľnom čase si užívam záhradkárčenie.
(Voh vohl-nohm chah-seh see oo-zhee-vahm zah-hrahd-kahr-cheh-nyeh.)

730. He's an astronomy enthusiast.
Je nadšenec pre astronómiu.
(Yeh nahd-sheh-nets preh as-troh-noh-mee-yoo.)

731. I've skydived twice.
Dvakrát som sa parašutisticky vyskočil.
(Dvah-kraht sohm sah pah-rah-shoo-teest-eets-kee vees-koh-cheel.)

732. She's a fitness trainer.
Je fitness trénerka.
(Yeh fee-tnees tréh-ner-kah.)

733. I love collecting vintage records.
Milujem zbieranie vinylových platní.
(Mee-loo-yem zbee-rah-nyeh vee-nee-loh-veeh plaht-neh.)

734. He's an experienced scuba diver.
Je skúsený potápač.
(Yeh skoo-seh-nee poh-tah-pahch.)

735. He's a bookworm and a literature lover.
Je knihomoľ a milovník literatúry.
(Yeh knee-ho-mohl ah mee-lohv-neek lee-teh-rah-too-ree.)

> **Fun Fact:** Slovakia has a tradition of thermal baths, with over 20 spa towns due to its geothermal activity.

Expressing Emotions and Sentiments

736. I feel overjoyed on my birthday.
Na svoje narodeniny som mimoriadne šťastný.
(Nah svo-yeh nah-roh-deh-nee-nee sohm mee-moh-ree-ahd-neh shtahs-nee.)

737. She's going through a tough time right now.
Prechádza teraz ťažkým obdobím.
(Preh-khahd-za teh-raz tyaž-keem ob-do-bee-em.)

738. I'm thrilled about my upcoming vacation.
Som nadšený z mojej nadchádzajúcej dovolenky.
(Som nad-sheh-nee z moy-ey nahd-khah-dzah-yoo-sey doh-vo-len-kee.)

739. He's heartbroken after the breakup.
Je zlomený po rozchode.
(Yeh zloh-meh-nee po roz-khoh-deh.)

740. I'm absolutely ecstatic about the news.
Som úplne nadšený z noviniek.
(Som oop-lneh nad-sheh-nee z no-vee-nee-k.)

741. She's feeling anxious before the big presentation.
Cíti sa úzkostlivo pred veľkou prezentáciou.
(Tsee-tee sa ooz-kost-lee-voh prehd vehl-koo preh-zehn-tah-tsee-oh.)

742. I'm proud of my team's achievements.
Som hrdý na úspechy môjho tímu.
(Som hrdy na oos-peh-khee moy-ho tee-moo.)

743. He's devastated by the loss.
Je zdevastovaný stratou.
(Yeh zdeh-vah-stoh-vah-nee strah-toh.)

744.   I'm grateful for the support I received.
Som vďačný za podporu, ktorú som dostal.
(Som vdyač-nee zah pod-poh-roo ktoh-roo som doh-stahl.)

745.   She's experiencing a mix of emotions.
Prežíva zmiešané emócie.
(Preh-zhee-vah zmee-shah-neh ehm-oh-tsee-eh.)

746.   I'm content with where I am in life.
Som spokojný, kde som v živote.
(Som spoh-koy-nee kdeh som v zhee-vo-teh.)

747.   He's overwhelmed by the workload.
Je preťažený pracovnou záťažou.
(Yeh preh-tyah-zheh-nee prah-coh-vnoh zah-tyah-zhoh.)

748.   I'm in awe of the natural beauty here.
Som ohúrený prírodnou krásou tu.
(Som oh-hoo-reh-nee pree-rohd-noh krah-soh too.)

> **Language Learning Tip:** Learn About Slovak Culture -
> Understanding cultural context enhances language
> learning.

749.   She's relieved the exams are finally over.
Je uľavená, že skúšky sú konečne za nami.
*(Yeh ooh-lah-veh-nah zheh skoosh-kee soo koh-neh-chneh zah
nah-mee.)*

750.   I'm excited about the new job opportunity.
Som vzrušený z novej pracovnej príležitosti.
(Som vzroo-sheh-nee z no-vey prah-cohv-ney pree-leh-zhi-tos-tee.)

Travel Story: In the bustling streets of Nitra during a festival, a performer said, "Tradícia je most medzi generáciami," meaning "Tradition is a bridge between generations," highlighting the importance of cultural heritage.

751. I'm nostalgic about my childhood.
Som nostalgičný ohľadom svojho detstva.
(Som nos-tal-gich-nee oh-la-dom svo-yho deht-stva.)

752. She's confused about her future.
Je zmätená ohľadom svojej budúcnosti.
(Yeh zmeh-teh-nah oh-la-dom svo-yey boo-dooch-nos-tee.)

753. I'm touched by the kindness of strangers.
Som dojatý láskavosťou neznámych.
(Som do-yah-tee lah-ska-vos-tyou neh-znah-mih.)

754. He's envious of his friend's success.
Závidí úspechu svojho priateľa.
(Zah-vee-dee oos-peh-hoo svo-yho pree-ah-te-lya.)

755. I'm hopeful for a better tomorrow.
Som plný nádeje na lepší zajtra.
(Som pluh-nee nah-deh-ye nah lehp-shee zai-tra.)

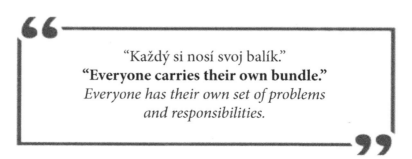

"Každý si nosí svoj balík."
"Everyone carries their own bundle."
Everyone has their own set of problems and responsibilities.

Interactive Challenge: Family & Relationships
(Link each English word with their corresponding meaning in Slovak)

1) Family	Súrodenci
2) Parents	Rozvod
3) Siblings	Manžel/ka
4) Children	Rodina
5) Grandparents	Priateľstvo
6) Spouse	Deti
7) Marriage	Príbuzní
8) Love	Svojaci
9) Friendship	Neter
10) Relatives	Bratranci A Sesternice
11) In-laws	Láska
12) Divorce	Rodičia
13) Adoption	Adopcia
14) Cousins	Starí Rodičia
15) Niece	Manželstvo

Correct Answers:

1. Family - Rodina
2. Parents - Rodičia
3. Siblings - Súrodenci
4. Children - Deti
5. Grandparents - Starí Rodičia
6. Spouse - Manžel/ka
7. Marriage - Manželstvo
8. Love - Láska
9. Friendship - Priateľstvo
10. Relatives - Príbuzní
11. In-laws - Svojaci
12. Divorce - Rozvod
13. Adoption - Adopcia
14. Cousins - Bratranci A Sesternice
15. Niece - Neter

TECHNOLOGY & COMMUNICATION

- USING TECHNOLOGY-RELATED PHRASES -
- INTERNET ACCESS AND COMMUNICATION TOOLS -
- TROUBLESHOOTING TECHNICAL ISSUES -

Using Technology

756.　I use my smartphone for various tasks.
Používam smartfón na rôzne úlohy.
(Pou-zhee-vahm smart-fón nah rôz-neh ú-loh-hee.)

757.　The computer is an essential tool in my work.
Počítač je nevyhnutný nástroj v mojej práci.
(Po-chee-tach yeh neh-vih-noot-ný nás-troy v moy-ey prah-tsee.)

758.　I'm learning how to code and develop software.
Učím sa programovať a vyvíjať softvér.
(Oo-cheem sah pro-gram-o-vahť ah vee-ví-yať soft-vér.)

759.　My tablet helps me stay organized.
Tablet mi pomáha zostať organizovaný.
(Tab-let mee po-má-ha zos-tať or-gan-ee-zo-vah-ný.)

760.　I enjoy exploring new apps and software.
Baví ma objavovať nové aplikácie a softvér.
(Bah-ví mah ob-ya-vo-vať no-vé apl-ee-kah-tsee-eh ah soft-vér.)

761.　Smartwatches are becoming more popular.
Smart hodinky sa stávajú čoraz populárnejšie.
*(Smart ho-din-kee sah stá-vah-yoo chor-az
pop-oo-lár-nyeh-shee-eh.)*

762. Virtual reality technology is fascinating.
Technológia virtuálnej reality je fascinujúca.
(Teh-no-ló-gia vir-too-ál-ney rea-li-ty yeh fas-tsi-noo-yoo-tsa.)

763. Artificial intelligence is changing industries.
Umelá inteligencia mení priemysel.
(Oo-mel-ah in-tel-i-gen-cia meh-nee pree-mye-sel.)

764. I like to customize my gadgets.
Rád si prispôsobujem svoje zariadenia.
(Rád see pris-pô-so-boo-yem svo-yeh za-ree-a-deh-nya.)

765. E-books have replaced physical books for me.
Elektronické knihy pre mňa nahradili fyzické knihy.
(E-lek-tro-ní-cké kní-hy pre mňa nah-ra-di-li fy-zick-é kní-hy.)

766. Social media platforms connect people worldwide.
Sociálne siete spájajú ľudí po celom svete.
(So-ciál-ne sie-te spá-yah-yoo l-yoo-dí po tse-lom sve-te.)

767. I'm a fan of wearable technology.
Som fanúšikom nositeľnej technológie.
(Som fa-nú-ši-kom no-si-tel-ney teh-no-ló-gie.)

768. The latest gadgets always catch my eye.
Najnovšie gadgety vždy upútajú moju pozornosť.
(Nai-nov-shie ga-dge-ty vždy oo-pú-ta-yoo mo-yoo po-zor-nosť.)

769. My digital camera captures high-quality photos.
Môj digitálny fotoaparát zachytáva fotografie vysokej kvality.
(Mohj dee-gee-tahl-nee foh-toh-ah-pah-raht zah-hchy-tah-vah foh-toh-grah-fee-eh vy-soh-key kvah-lee-tee.)

770. Home automation simplifies daily tasks.
Automatizácia domácnosti zjednodušuje každodenné úlohy.
(Ah-too-mah-tee-zah-tsiah doh-mahch-nos-tee zyed-noh-doo-shoo-yeh kahzh-do-den-neh oo-loh-hee.)

771. I'm into 3D printing as a hobby.
3D tlač je mojim koníčkom.
(Tray dee tlahch yeh moy-eem koh-neech-kom.)

772. Streaming services have revolutionized entertainment.
Streamovacie služby revolúciou zmenili zábavu.
(Stree-moh-vah-tsye sloo-zhby reh-voh-loo-tsee-oh zme-nee-lee zah-bah-voo.)

773. The Internet of Things (IoT) is expanding.
Internet vecí (IoT) sa rozširuje.
(Een-tehr-net vetsy (IoT) sah roh-shee-roo-yeh.)

774. I'm into gaming, both console and PC.
Zaujímam sa o hranie hier, ako na konzole, tak na PC.
(Zow-ye-mahm sah oh hrah-nee-eh hyer, ah-koh nah kohn-zoh-leh, tahk nah peh-tsey.)

775. Wireless headphones make life more convenient.
Bezdrôtové slúchadlá robia život pohodlnejším.
(Behz-droh-toh-veh sloo-khah-dlah roh-bee-ah zhee-vot poh-hodl-nyay-sheem.)

176

776. Cloud storage is essential for my work.
Ukladanie do cloudu je nevyhnutné pre moju prácu.
(Ook-lah-dah-nee-eh doh klow-doo yeh neh-vih-hnoo-tnay preh moy-yoo prah-tsoo.)

> **Travel Story:** At the entrance of Dobšinská Ice Cave, a visitor was told, "Tu sa zastavil čas," which translates to "Here, time has stopped," marveling at the natural wonder preserved within.

Internet Access and Communication Tools

777. I rely on high-speed internet for work.
Pre prácu sa spolieham na vysokorýchlostný internet.
(Preh prah-tsoo sah spoh-lyeh-hahm nah vy-soh-koh-rych-lohs-tny een-tehr-net.)

778. Video conferencing is crucial for remote meetings.
Video konferencie sú kľúčové pre diaľkové stretnutia.
(Vee-deh-oh kohn-feh-ren-tsee-eh soo kloo-cho-veh preh dee-ahl-koh-veh streh-too-nyah.)

779. Social media helps me stay connected with friends.
Sociálne médiá mi pomáhajú zostať v spojení s priateľmi.
(So-tsee-ahl-neh may-dee-ah mee poh-mah-how-yoo zoh-staht v spoh-yeh-nee s pree-ah-tehl-mee.)

780. Email is my primary mode of communication.
E-mail je mojím hlavným spôsobom komunikácie.
(Eh-mayl yeh moy-eem hlav-neem spoh-soh-bom koh-moo-nee-kah-tsye.)

781.   I use messaging apps to chat with family.
       Používam aplikácie na správy na chatovanie s rodinou.
       *(Po-oo-zhee-vahm ah-plee-kah-tsee-eh nah sprah-vy nah
       khah-toh-vah-nyeh s roh-dee-noh.)*

782.   Voice and video calls keep me in touch with loved ones.
       Hlasové a video hovory ma udržiavajú v kontakte s blízkymi.
       *(Hlah-soh-veh ah vee-deh-oh hoh-vor-ee mah ood-rzhya-vah-yoo
       v kohn-tahk-teh s bleez-kee-mee.)*

783.   Online forums are a great source of information.
       Online fóra sú skvelým zdrojom informácií.
       *(On-line foh-rah soo skveh-leem zdroh-yohm een-for-mah-tsee-
       ee.)*

784.   I trust encrypted messaging services for privacy.
       Dôverujem šifrovaným správam pre súkromie.
       *(Doh-veh-roo-yehm shif-roh-vah-neem sprah-vahm preh
       soo-kroh-mee-eh.)*

785.   Webinars are a valuable resource for learning.
       Webináre sú cenným zdrojom pre učenie.
       (Veh-bee-nah-reh soo tseh-neem zdroh-yohm preh oo-cheh-nyeh.)

786.   VPNs enhance online security and privacy.
       VPN zvyšujú online bezpečnosť a súkromie.
       *(Vee-Pee-En zvy-shoo-yoo ohn-line behz-pech-nost ah
       soo-kroh-mee-eh.)*

       Fun Fact: Slovak Christmas traditions include a special
       dinner with 12 dishes, symbolizing the 12 apostles.

787. Cloud-based collaboration tools are essential for teamwork.
Nástroje pre spoluprácu založené na cloude sú nevyhnutné pre tímovú prácu.
(Nah-stroh-yeh preh spo-loo-prah-tsoo zah-loh-zheh-neh nah klow-deh soo neh-vy-hnoo-tnay preh tee-moh-voo prah-tsoo.)

788. I prefer using a wireless router at home.
Doma dávam prednosť používaniu bezdrôtového smerovača.
(Doh-mah dah-vahm prehd-nost poo-zhee-vah-nyoo behz-droh-toh-veh-hoh smeh-roh-vah-cha.)

789. Online banking simplifies financial transactions.
Online bankovníctvo zjednodušuje finančné transakcie.
(Ohn-line bahn-kov-neek-tvoh zyed-noh-doosh-oo-yeh fee-nahnch-neh trahn-sahk-tsee-eh.)

> **Fun Fact:** The Slovak Philharmonic Orchestra, based in Bratislava, is one of Europe's leading musical institutions.

790. VoIP services are cost-effective for international calls.
Služby VoIP sú nákladovo efektívne pre medzinárodné hovory.
(Sloo-zhby Voh-IP soo nah-kla-doh-voh eh-fee-kteev-neh preh med-zee-nah-rohd-neh hoh-vor-ee.)

791. I enjoy online shopping for convenience.
Užívam si online nakupovanie kvôli pohodliu.
(Oo-zhee-vahm see ohn-line nah-koo-poh-vah-nyeh kvoh-lee poh-hohd-lyoo.)

792. Social networking sites connect people globally.
Sociálne siete spájajú ľudí po celom svete.
(So-tsee-ahl-neh see-teh spah-yah-yoo lyoo-dee poh tseh-lom sve-teh.)

793. E-commerce platforms offer a wide variety of products.
E-commerce platformy ponúkajú širokú škálu produktov.
(Eh-com-merce plat-for-my po-nú-kah-yú shi-ro-kú shká-loo pro-duk-tov.)

> **Idiomatic Expression:** "Mať voľnú ruku."
> Meaning: "To have free rein."
> (Literal translation: "To have a free hand.")

794. Mobile banking apps make managing finances easy.
Mobilné bankové aplikácie uľahčujú správu financií.
(Mo-bil-né ban-kov-é ah-plee-kah-tsee-eh oo-ľah-ču-yú sprá-vu fi-nan-tsíí.)

795. I'm active on professional networking sites.
Som aktívny na profesionálnych sieťach.
(Som ak-tív-ny na pro-fe-sion-ál-nych see-ťach.)

796. Virtual private networks protect my online identity.
Virtuálne súkromné siete chránia moju online identitu.
(Vir-tu-ál-ne sú-krom-né see-te chrá-nia mo-yu on-line i-den-ti-tu.)

797. Instant messaging apps are great for quick chats.
Aplikácie pre okamžité správy sú skvelé na rýchle chaty.
(Ah-plee-ká-tsee-eh pre o-kam-ži-té sprá-vy sú skve-lé na rých-le cha-ty.)

Troubleshooting Technical Issues

798.   My computer is running slow; I need to fix it.
       Môj počítač beží pomaly; potrebujem ho opraviť.
       (Môy po-čí-tač be-ží po-ma-ly; po-tre-bu-jem ho o-pra-viť.)

799.   I'm experiencing network connectivity problems.
       Mám problémy s pripojiteľnosťou siete.
       (Mám pro-blé-my s pri-po-ji-teľ-nos-ťou see-te.)

800.   The printer isn't responding to my print commands.
       Tlačiareň nereaguje na moje príkazy na tlač.
       (Tla-čiar-eň ne-re-a-gu-je na mo-je prí-ka-zy na tlač.)

> **Fun Fact:** The Škoda Works in Slovakia, established in
> the 19th century, became one of the largest European
> industrial conglomerates.

801.   My smartphone keeps freezing; it's frustrating.
       Môj smartfón sa neustále zamrzá; je to frustrujúce.
       (Môy smart-fón sa neu-stá-le zam-rzá; je to frus-tru-jú-ce.)

802.   The Wi-Fi signal in my house is weak.
       Wi-Fi signál v mojom dome je slabý.
       (Vee-fee sig-nál v mo-jom do-me je sla-bý.)

803.   I can't access certain websites; it's a concern.
       Nemôžem pristupovať k určitým webovým stránkam; je to
       znepokojivé.
       (Ne-mô-žem pris-tu-po-vať k ur-či-tým ve-bo-vým strán-kam; je
       to zne-po-ko-ji-vé.)

804. My laptop battery drains quickly; I need a solution.
Batéria môjho notebooku sa rýchlo vybíja; potrebujem riešenie.
(Bah-té-ree-ah môyh-ho noh-toh-boo-koo sa rých-lo vy-bí-ja; po-treh-boo-yem rye-she-nyeh.)

805. There's a software update available for my device.
Pre moje zariadenie je dostupná aktualizácia softvéru.
(Preh mo-yeh zah-ree-ah-dee-nyeh yeh dos-too-pná ak-too-ah-li-zah-tsya sohf-tvér-oo.)

806. My email account got locked; I need to recover it.
Môj e-mailový účet bol zamknutý; potrebujem ho obnoviť.
(Môj eh-mai-lo-vý ú-čet bol zam-knu-tý; po-treh-boo-yem ho ob-no-veeť.)

807. The screen on my tablet is cracked; I'm upset.
Obrazovka na mojom tablete je prasknutá; som rozčarovaný.
(Ob-ra-zov-kah nah mo-yom tah-bleh-teh yeh pras-knu-tá; som roz-ča-ro-va-ný.)

808. My webcam isn't working during video calls.
Moja webkamera nefunguje počas videohovorov.
(Mo-ya vehb-kah-meh-rah neh-foon-goo-yeh po-chas vee-deh-ho-vo-rov.)

809. My phone's storage is almost full; I need to clear it.
Úložisko môjho telefónu je takmer plné; potrebujem ho vyčistiť.
(Ú-lo-žis-ko môyh-ho teh-leh-fó-noo yeh tak-mer pl-né; po-treh-boo-yem ho vy-čis-teeť.)

Fun Fact: Slovak folk tales often feature mythical creatures, like dragons and fairies, reflecting the country's rich folklore.

810. I accidentally deleted important files; I need help.
Omylom som vymazal dôležité súbory; potrebujem pomoc.
(O-my-lom som vy-ma-zal dô-le-ži-té sú-bo-ry; po-treh-boo-yem po-moc.)

> **Fun Fact:** The Dobšiná Ice Cave, a UNESCO site, is one of the largest ice caves in Slovakia.

811. My smart home devices are not responding.
Moje inteligentné zariadenia domácnosti nereagujú.
(Mo-yeh in-teh-li-gent-né zah-ree-ah-dee-nya do-máh-cnos-tee neh-reh-ah-goo-yú.)

812. The GPS on my navigation app is inaccurate.
GPS v mojej navigačnej aplikácii je nepresná.
(Gee-Pee-Es v mo-yey nah-vee-gahč-nej ah-plee-kah-tsii yeh neh-pres-ná.)

813. My antivirus software detected a threat; I'm worried.
Môj antivírusový program detekoval hrozbu; som znepokojený.
(Môj an-tee-ví-ro-so-vý pro-gram de-teh-ko-val hroz-boo; som zne-po-ko-yen-ý.)

814. The touchscreen on my device is unresponsive.
Dotykový displej na mojom zariadení nereaguje.
(Do-ty-kov-ý dis-pley na mo-yom zah-ree-ah-dee-ny neh-reh-ah-goo-yeh.)

815. My gaming console is displaying error messages.
Moja herná konzola zobrazuje chybové správy.
(Mo-ya her-ná kon-zo-lah zo-bra-zoo-yeh chy-bo-vé sprá-vy.)

> **Fun Fact:** Mikuláš Dzurinda, Slovakia's former prime minister, is an avid marathon runner.

816. I'm locked out of my social media account.
Som zamknutý zo svojho sociálneho mediálneho účtu.
(Som zam-knu-tý zo svo-yho so-tsiál-ne-ho me-diál-ne-ho úch-tu.)

817. The sound on my computer is distorted.
Zvuk na mojom počítači je skreslený.
(Zvook na mo-yom po-chí-ta-chi yeh skres-le-ný.)

818. My email attachments won't open; it's frustrating.
Moje e-mailové prílohy sa neotvárajú; je to frustrujúce.
(Mo-yeh e-mai-lo-vé prí-lo-hy sa ne-ot-vá-ra-yú; yeh to froo-stroo-yú-tse.)

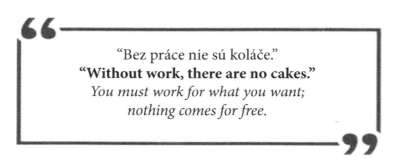

"Bez práce nie sú koláče."
"Without work, there are no cakes."
*You must work for what you want;
nothing comes for free.*

Cross Word Puzzle: Technology & Communication

(Provide the English translation for the following Slovak words)

Down

1. - NABÍJAČKA
2. - TLAČIAREŇ
3. - INTERNET
4. - WEBKAMERA
7. - DÁTA
8. - KLÁVESNICA
11. - SIEŤ

Across

1. - OBLAK
5. - OBRAZOVKA
6. - ŠIFROVANIE
9. - ČÍTAČKA
10. - BATÉRIA
12. - SOFTVÉR
13. - SMEROVAČ
14. - PRIHLÁSENIE

Correct Answers:

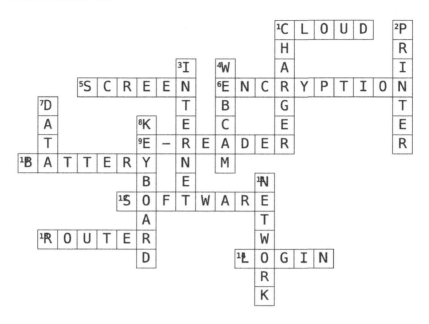

SPORTS & RECREATION

- DISCUSSING SPORTS, GAMES, & OUTDOOR ACTIVITIES -
- PARTICIPATING IN RECREATIONAL ACTIVITIES -
- EXPRESSING ENTHUSUASM OR FRUSTRATION -

Sports, Games, & Outdoor Activities

819.   I love playing soccer with my friends.
       Rád hrám futbal s priateľmi.
       (Rahd hrahm foot-ball s pree-ah-tehl-mee.)

820.   Basketball is a fast-paced and exciting sport.
       Basketbal je rýchly a vzrušujúci šport.
       (Bas-ket-ball yeh rých-lee a vzroo-shoo-yoo-tsee shport.)

821.   Let's go for a hike in the mountains this weekend.
       Tento víkend poďme na túru do hôr.
       (Ten-toh vee-kend pod-me nah too-roo doh hôr.)

822.   Playing chess helps improve my strategic thinking.
       Hranie šachu zlepšuje moje strategické myslenie.
       (Hrah-nyeh shah-hoo zlep-shoo-yeh moy-eh strah-gee-tsee-keh my-sle-nyeh.)

823.   I'm a fan of tennis; it requires a lot of skill.
       Som fanúšikom tenisu; vyžaduje veľa zručnosti.
       (Som fah-noo-shee-kom teh-nee-soo; vee-zha-doo-yeh veh-lah zroochnos-tee.)

824.   Are you up for a game of volleyball at the beach?
       Si pre hru volejbalu na pláži?
       (See preh hroo vo-lehj-bah-loo nah plah-zhee?)

825.   Let's organize a game of ultimate frisbee.
       Zorganizujme hru ultimátneho frisbee.
       (Zor-gah-nee-zooy-meh hroo ool-tee-maht-neh-ho fris-bee.)

826. Baseball games are a great way to spend the afternoon.
Bejzbalové zápasy sú skvelým spôsobom, ako stráviť popoludnie.
(Bayz-bah-loh-véh zah-pah-see soo skveh-leem spoh-soh-bom, ah-koh strah-veet pop-oh-lood-nyeh.)

827. Camping in the wilderness is so peaceful.
Kempovanie v divočine je tak pokojné.
(Kemp-oh-vah-nee-eh v dee-vo-chee-neh yeh tak poh-koy-neh.)

828. I enjoy swimming in the local pool.
Baví ma plávanie v miestnom bazéne.
(Bah-vee mah plah-vah-nee-eh v mee-est-nom bah-zay-neh.)

829. I'm learning to play the guitar in my free time.
Vo voľnom čase sa učím hrať na gitare.
(Vo vol-nom chah-seh sa oo-cheem hraht nah gee-tah-reh.)

830. Skiing in the winter is an exhilarating experience.
Lyžovanie v zime je vzrušujúci zážitok.
(Lee-zho-vah-nee-eh v zee-meh yeh vzroo-shoo-yoo-tsee zah-zhee-tohk.)

831. Going fishing by the lake is so relaxing.
Rybolov pri jazere je tak relaxačný.
(Ree-boh-lov pree yah-zeh-reh yeh tak re-lahk-sahch-nee.)

832. We should have a board game night with friends.
Mali by sme mať večer stolových hier s priateľmi.
(Mah-lee bee smeh maht veh-chehr sto-loh-vých here s pree-ah-tehl-mee.)

Travel Story: In a pottery workshop in Modra, the artist explained, "Každý kúsok je odtlačkom duše," meaning "Every piece is an imprint of the soul," showcasing the craftsmanship and creativity of Slovak artisans.

833. Martial arts training keeps me fit and disciplined.
Tréning bojových umení ma udržiava vo forme a disciplinovaného.
(Treh-ning boh-yoh-vých oo-men-ee mah ood-rzhi-ah-vah vo for-meh ah dis-ci-pli-no-vah-neh-ho.)

834. I'm a member of a local running club.
Som členom lokálneho behárskeho klubu.
(Som chle-nom loh-kahl-neh-ho beh-ahr-skeh-ho kloo-boo.)

835. Playing golf is a great way to unwind.
Hranie golfa je skvelý spôsob ako sa uvoľniť.
(Hrah-nyeh gol-fah yeh skveh-lý spoh-sohb ah-koh sah oov-ohl-neeť.)

836. Yoga classes help me stay flexible and calm.
Joga lekcie mi pomáhajú zostať ohybný a pokojný.
(Yo-gah lek-tsee-eh mee po-mah-hah-yoo zohs-tať oh-hib-ný ah po-koy-ný.)

837. I can't wait to go snowboarding this season.
Neviem sa dočkať snowboardingu v tejto sezóne.
(Neh-vyehm sah dohch-kať snoh-voh-boar-ding-goo v tay-toh seh-zoh-neh.)

838. Going kayaking down the river is an adventure.
Jazda na kajaku po rieke je dobrodružstvo.
(Yahz-dah nah kai-ah-koo poh rye-keh yeh doh-broh-droozh-st voh.)

839. Let's organize a picnic in the park.
Zorganizujme piknik v parku.
(Zor-gah-nee-zooy-meh peek-neek v par-koo.)

Participating in Recreational Activities

840. I enjoy painting landscapes as a hobby.
Maľovanie krajín ako koníček ma baví.
(Mah-ľoh-vah-nyeh kra-yin ah-koh koh-nee-chehk mah bah-vý.)

841. Gardening is a therapeutic way to spend my weekends.
Záhradkárčenie je terapeutický spôsob, ako tráviť moje víkendy.
(Záh-rad-kar-chen-yeh yeh teh-rah-pew-tick-ý spoh-sohb, ah-koh trah-veeť moh-yeh vee-ken-dy.)

842. Playing the piano is my favorite pastime.
Hranie na klavíri je mojím obľúbeným koníčkom.
(Hrah-nyeh nah klah-vý-ree yeh moy-jeem ob-ľoo-beh-ným koh-nee-chkom.)

843. Reading books helps me escape into different worlds.
Čítanie kníh mi pomáha utiecť do rôznych svetov.
(Chí-tah-nyeh kníh mee poh-mah-ha oo-tyech doh rôz-nich sve-tohv.)

844. I'm a regular at the local dance classes.
Pravidelne navštevujem miestne tanečné kurzy.
(Prah-vee-del-neh nahv-shteh-voo-yem myest-neh tah-nehch-neh koor-zy.)

845. Woodworking is a skill I've been honing.
Spracovanie dreva je zručnosť, ktorú som si zdokonaľoval.
(Sprah-covah-nyeh dre-vah yeh zroochnosť, ktoh-roo som see zdo-konah-ľoh-vahl.)

> **Idiomatic Expression:** "Obrátiť každú korunu."
> Meaning: "To be frugal."
> (Literal translation: "To turn every crown.")

846. I find solace in birdwatching at the nature reserve.
V pozorovaní vtákov v prírodnej rezervácii nachádzam útechu.
(V po-zo-ro-vah-nee v-tah-kov v pree-rod-ney re-zer-vah-tsee nah-hah-dzam oo-teh-hoo.)

847. Meditation and mindfulness keep me centered.
Meditácia a uvedomenie mi pomáhajú zostať vyrovnaný.
(Me-dee-tah-tsee-ah ah oo-veh-do-me-nee mee po-mah-hah-yoo zohs-taht vee-rohv-nah-nee.)

848. I've taken up photography to capture moments.
Vzal som si fotografovanie, aby som zachytil okamihy.
(Vzal som see fo-to-grah-foh-vah-nee, ah-bee som zah-hy-teel o-kah-mee-hy.)

849. Going to the gym is part of my daily routine.
Chodenie do telocvične je súčasťou mojej denne rutiny.
(Ho-deh-nee-e doh teh-loh-tsvih-neh yeh soo-chas-tyoo mo-yey deh-neh roo-tee-nee.)

850. Cooking new recipes is a creative outlet for me.
Varenie nových receptov je pre mňa tvorivým únikom.
(Vah-reh-nee-e noh-veeh reh-tsep-tov yeh preh m-nya tvoh-ree-veem oo-nee-kom.)

851. Building model airplanes is a fascinating hobby.
Stavanie modelov lietadiel je fascinujúce hobby.
(Stah-vah-nee-e mo-deh-lov lee-eh-tah-dyel yeh fahs-tsi-noo-yoo-tseh ho-bee.)

852. I love attending art exhibitions and galleries.
Milujem návštevu umeníckych výstav a galérií.
(Mee-loo-yem nahv-shteh-voo oo-meh-nee-tskih vees-tahv ah gah-leh-ree-ee.)

853. Collecting rare stamps has been a lifelong passion.
Zbieranie vzácnych známok bolo celoživotnou vášňou.
(Zbee-eh-rah-nee-e vzahch-nee-h znah-mok boh-loh tseh-loh-zhee-vot-noh vah-shnyoo.)

854. I'm part of a community theater group.
Som súčasťou komunitnej divadelnej skupiny.
(Som soo-chas-tyoo ko-moo-nee-tnay dee-vah-del-nyay skoo-pee-nee.)

855. Birdwatching helps me connect with nature.
Pozorovanie vtákov mi pomáha spájať sa s prírodou.
(Poh-zoh-ro-vah-nee-e v-tah-kov mee po-mah-ha spah-yat sah s pree-roh-do-oo.)

856. I'm an avid cyclist and explore new trails.
Som vášnivý cyklista a preskúmavam nové chodníky.
(Som vahsh-nee-vee tsee-klees-tah ah preh-skoo-mah-vam no-veh kho-dnee-ky.)

857. Pottery classes allow me to express myself.
Keramické kurzy mi umožňujú vyjadriť sa.
(Keh-rah-mee-tskay koor-zy mee oo-mozh-nyoo vee-yahd-reet sah.)

858. Playing board games with family is a tradition.
Hranie stolových hier s rodinou je tradíciou.
(Hrah-nee-e sto-lo-vih hyer s roh-dee-no-oo yeh trah-dee-tsee-o-oo.)

859. I'm practicing mindfulness through meditation.
Cvičím uvedomenie prostredníctvom meditácie.
(Tsvih-cheem oo-veh-do-me-nee-e pros-tred-nee-tsvom meh-dee-tah-tsee-eh.)

860. I enjoy long walks in the park with my dog.
Užívam si dlhé prechádzky v parku so svojím psom.
(Oo-zhee-vam see dl-heh preh-hahdz-kee v par-koo so svo-yim psohm.)

> **Cultural Insight:** Slovak Christmas involves a variety of unique traditions, including a special dinner on Christmas Eve that typically features carp and potato salad.

Expressing Enthusiasm or Frustration

861. I'm thrilled we won the championship!
Som nadšený, že sme vyhrali majstrovstvá!
(Som nad-sheh-nee, zhe sme vih-ra-lee mai-strov-stvah!)

862. Scoring that goal felt amazing.
Dali sme ten gól a bolo to úžasné.
(Da-lee sme ten gohl a bo-lo to oo-zahs-neh.)

863. It's so frustrating when we lose a game.
Je to tak frustrujúce, keď prehráme zápas.
(Ye to tak frus-troo-yoo-tse, ke-d preh-rah-me zah-pas.)

864. I can't wait to play again next week.
Neviem sa dočkať, kedy zase budeme hrať budúci týždeň.
(Neh-vyem sa doh-chkaht, keh-dy zah-se boo-deh-me hraht boo-doo-tsee tee-zh-dehn.)

> **Fun Fact:** Slovak has a formal and informal register for addressing people, similar to "vous" and "tu" in French.

865. Our team's performance was outstanding.
Výkon nášho tímu bol vynikajúci.
(Vee-kon nah-shho tee-moo bol vih-nee-ka-yoo-tsee.)

866. We need to practice more; we keep losing.
Potrebujeme viac trénovať; neustále prehrávame.
(Po-tre-boo-ye-me vyahc treh-noh-vaht; neh-oos-tah-le preh-hrah-vah-me.)

867. I'm over the moon about our victory!
Som nad mieru šťastný z našej víťazstva!
(Som nad mee-roo shtahs-nee z nah-shej veet-yahz-stva!)

> **Language Learning Tip:** Learn the Cases - Slovak grammar uses cases; understanding them is essential for sentence structure.

868. I'm an avid cyclist and explore new trails.
Som vášnivý cyklista a preskúmavam nové chodníky.
(Som vahsh-nee-vee tsik-lees-ta a preh-skoo-mah-vam noh-veh kho-dnee-kee.)

869. The referee's decision was unfair.
Rozhodnutie rozhodcu bolo nespravodlivé.
(Roz-hod-noo-tee-e roz-hod-tsoo bo-lo neh-sprah-vod-lee-vay.)

870. We've been on a winning streak lately.
V poslednej dobe sme mali víťaznú šnúru.
(V pos-led-nay do-be sme mah-lee veet-yahz-noo shnoo-roo.)

871. I'm disappointed in our team's performance.
Som sklamaný z výkonu nášho tímu.
(Som skla-mah-nee z vee-koh-noo nah-shho tee-moo.)

872. The adrenaline rush during the race was incredible.
Adrenalínový nával počas preteku bol neuveriteľný.
*(Ad-re-na-leen-o-vi na-val po-chas preh-te-koo bol
neh-oov-eh-ree-tehl-ni.)*

873. We need to step up our game to compete.
Musíme zlepšiť našu hru, aby sme boli konkurencieschopní.
*(Moo-see-meh zlep-sheetch na-shoo hroo, ah-bi smeh bo-lee
kon-koo-ren-tsee-schohp-nee.)*

874. Winning the tournament was a dream come true.
Vyhrať turnaj bol splnený sen.
(Vee-hrat too-rnai bol splnen-i sen.)

875. I was so close to scoring a goal.
Bol som tak blízko k tomu, aby som dal gól.
(Bol som tak bli-zko k to-moo, ah-bi som dal gohl.)

876. We should celebrate our recent win.
Mali by sme osláviť naše nedávne víťazstvo.
*(Mah-lee bi smeh o-slah-veetch na-sheh neh-dahv-neh
veet-yahz-stvo.)*

877. Losing by a narrow margin is frustrating.
Prehrať o tesno je frustrujúce.
(Preh-rat o tes-no ye frus-troo-yoo-tseh.)

878. Let's train harder to improve our skills.
Poďme trénovať tvrdšie, aby sme zlepšili naše zručnosti.
*(Pod-me treh-no-vat tvrd-shee-e, ah-bi smeh zlep-shee-lee na-she
zrooch-nos-tee.)*

879. The match was intense from start to finish.
Zápas bol intenzívny od začiatku do konca.
(Za-pas bol in-ten-zeev-ni od zah-chiat-koo do kon-tsa.)

880. I'm proud of our team's sportsmanship.
Som hrdý na športové správanie našej tímu.
(Som hrdi na shpor-to-veh sprah-va-nee na-shej tee-moo.)

881. We've faced tough competition this season.
Túto sezónu sme čelili tvrdej konkurencii.
(Too-toh se-zo-noo smeh che-lee-i tvr-dej kon-koo-ren-tsee-ee.)

882. I'm determined to give it my all in the next game.
Som odhodlaný dať do ďalšej hry všetko od seba.
(Som od-hod-la-ni dat do dal-shej hri vshet-ko od se-ba.)

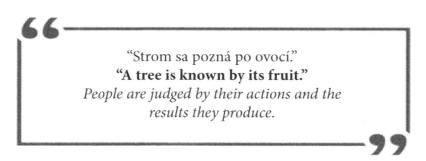

"Strom sa pozná po ovocí."
"A tree is known by its fruit."
People are judged by their actions and the results they produce.

Mini Lesson:
Basic Grammar Principles in Slovak #3

Introduction:

This installment of our Slovak grammar series explores further complex grammatical structures and rules, enhancing your understanding of Slovak. Building on previous lessons, we introduce additional key elements crucial for achieving fluency and for crafting detailed, nuanced sentences in Slovak.

1. Aspect of Verbs:

Slovak verbs are characterized by aspect – a grammatical feature that expresses how an action is viewed with respect to time. There are two aspects: imperfective (expressing ongoing or repeated actions) and perfective (expressing completed actions).

- *Čítať (to read, imperfective)*
- *Prečítať (to read through/to finish reading, perfective)*

2. Conditional Mood:

The conditional mood in Slovak is used to express hypothetical situations and is formed with the auxiliary verb "by" plus the past participle of the verb.

- *Keby som mal viac času, čítal by som viac. (If I had more time, I would read more.)*

3. Direct and Indirect Speech:

Like in English, Slovak changes the tense of reported speech. Direct speech becomes indirect speech with adjustments in tense and perspective.

- *Povedal: "Idem domov." (He said, "I'm going home.")*
- *Povedal, že ide domov. (He said that he was going home.)*

4. Prepositions and Cases:

Slovak prepositions dictate the case of the nouns that follow them. Understanding the correct case response to prepositions is key to proper sentence structure.

- *O tebe (about you) - requires locative case after preposition "o".*

5. Use of Particles:

Particles can modify the meaning of verbs, creating nuanced expressions. They are akin to phrasal verbs in English and can significantly alter the action described by the verb.

- *Dostať sa (to get somewhere, to make it)*

6. Reflexive Pronouns:

Slovak reflexive pronouns are used similarly to those in English, but with a wider application in reflexive verbs, which are more prevalent in Slovak.

- *Umyť sa (to wash oneself)*

7. Emphasis and Negation:

Word order in Slovak can be altered for emphasis or negation, often placing the negated verb or object at the beginning of the sentence.

- *Nikdy som tam nebol. (I have never been there.)*

8. Use of Diminutives:

Diminutives are frequently used in Slovak to express affection, smallness, or to convey a diminutive tone, not just for nouns but for names and adjectives as well.

- *Domček (little house) from dom (house)*

Conclusion:

Mastering these advanced grammatical structures in Slovak enhances your ability to communicate complex ideas and engage in deeper conversations. Practice by incorporating these elements into your spoken and written Slovak, and immerse yourself in the language through reading, listening, and dialogue. Veľa šťastia! (Good luck!)

TRANSPORT & DIRECTIONS

- ASKING FOR AND GIVING DIRECTIONS -
- USING TRANSPORTATION-RELATED PHRASES -

Asking for and Giving Directions

883.   Can you tell me how to get to the nearest subway station?
       Môžete mi povedať, ako sa dostať k najbližšej stanici metra?
       (Moh-zheh-teh mee po-veh-daht, ah-koh sah doh-stah-t k nai-blyzh-shey stanee-tsee meh-trah?)

884.   Excuse me, where's the bus stop for Route 25?
       Prepáčte, kde je zastávka autobusu číslo 25?
       (Preh-pahch-teh, kdeh yeh zah-stahv-kah ah-oo-toh-boo-soo chees-loh dvah-dsaht peht?)

885.   Could you give me directions to the city center?
       Môžete mi dať pokyny do centra mesta?
       (Moh-zheh-teh mee daht po-kee-ni doh tzen-trah meh-stah?)

886.   I'm looking for a good place to eat around here. Any recommendations?
       Hľadám dobré miesto na jedlo tu okolo. Máte nejaké odporúčania?
       (Hlah-dahm doh-breh myehs-toh nah yehd-loh too oh-koh-loh. Mah-teh neh-yah-keh od-poh-roo-cha-nee-ah?)

887.   Which way is the nearest pharmacy?
       Ktorým smerom je najbližšia lekáreň?
       (Ktoh-rihm smeh-rohm yeh nai-blyzh-shee-ah leh-kah-ren?)

888.   How do I get to the airport from here?
       Ako sa dostanem na letisko odtiaľto?
       (Ah-koh sah doh-stah-nem nah leh-tees-koh od-tee-ahl-toh?)

889. Can you point me to the nearest ATM?
Môžete mi ukázať najbližší bankomat?
(Moh-zheh-teh mee oo-kah-zaht nai-blyzh-shee ban-koh-maht?)

890. I'm lost. Can you help me find my way back to the hotel?
Stratil som sa. Môžete mi pomôcť nájsť cestu späť do hotela?
(Stra-teel sohm sah. Moh-zheh-teh mee poh-mohch nyahsht tseh-stoo spyaht doh ho-teh-lah?)

891. Where's the closest gas station?
Kde je najbližšia čerpacia stanica?
(Kdeh yeh nai-blyzh-shee-ah cher-pah-see-ah stah-nee-tsah?)

892. Is there a map of the city available?
Je k dispozícii mapa mesta?
(Yeh k dees-poh-zee-tsee mah-pah meh-stah?)

893. How far is it to the train station from here?
Ako ďaleko je to na železničnú stanicu odtiaľto?
(Ah-koh dyah-leh-koh yeh toh nah zheh-lez-neech-noo stah-nee-tsoo od-tee-ahl-toh?)

894. Which exit should I take to reach the shopping mall?
Ktorý východ by som mal vziať, aby som sa dostal do nákupného centra?
(Ktoh-rih vih-hod bi sohm mahl vzyaht, ah-bi sohm sah doh-stahl doh nah-koo-pneh-hoh tzen-trah?)

895. Where can I find a taxi stand around here?
Kde môžem nájsť taxíkovú stanicu tu okolo?
(Kdeh moh-zhem nyahsht tak-see-koh-voo stah-nee-tsoo too oh-koh-loh?)

896. Can you direct me to the main tourist attractions?
Môžete ma nasmerovať k hlavným turistickým atrakciám?
(Moh-zheh-teh mah nas-me-ro-vaht k hlav-nim too-ree-stee-kim ah-trak-tsee-am?)

Fun Fact: The Blue Church in Bratislava is famous for its Art Nouveau architecture and distinctive blue color.

897. I need to go to the hospital. Can you provide directions?
Potrebujem ísť do nemocnice. Môžete dať pokyny?
(Po-tre-boo-yem isht do ne-mots-nee-tse. Moh-zheh-teh daht po-ki-ni?)

898. Is there a park nearby where I can go for a walk?
Je v blízkosti nejaký park, kde môžem ísť na prechádzku?
(Yeh v bli-zkos-tee neh-ja-ki park, kdeh moh-zhem isht na preh-hah-dz-koo?)

899. Which street should I take to reach the museum?
Ktorou ulicou by som mal ísť, aby som sa dostal do múzea?
(Kto-roh oo-lee-tsoh bi som mal isht, ah-bi som sah dos-tal do moo-zeh-ah?)

900. How do I get to the concert venue?
Ako sa dostanem na koncertné miesto?
(Ah-ko sah dos-tah-nem nah kon-tsert-neh myes-toh?)

901. Can you guide me to the nearest public restroom?
Môžete ma nasmerovať k najbližšej verejnej toalete?
(Moh-zheh-teh mah nas-me-ro-vaht k nai-bli-zshei veh-rei-nei toh-ah-leh-teh?)

902. Where's the best place to catch a cab in this area?
Kde je najlepšie miesto na chytenie taxíka v tejto oblasti?
*(Kdeh yeh nai-lep-shee-eh myes-toh nah khy-teh-nee-e
tahk-see-kah v tei-toh ob-lah-sti?)*

Buying Tickets

903. I'd like to buy a one-way ticket to downtown, please.
Rád by som si kúpil jednosmerný lístok do centra, prosím.
*(Rahd bi som si koo-pil yed-no-smer-ni li-stok do tzen-tra,
pro-seem.)*

904. How much is a round-trip ticket to the airport?
Koľko stojí spiatočný lístok na letisko?
(Kohl-ko sto-yee spee-ah-toch-ni li-stok nah leh-tees-ko?)

905. Do you accept credit cards for ticket purchases?
Prijímate kreditné karty na kúpu lístkov?
(Pree-yi-ma-teh kre-deet-neh kar-tee nah koo-poo lis-tkov?)

906. Can I get a student discount on this train ticket?
Môžem dostať študentskú zľavu na tento vlakový lístok?
*(Moh-zhem dos-taht shtoo-dents-koo zlav-oo nah ten-toh
vlah-ko-vi li-stok?)*

907. Is there a family pass available for the bus?
Je k dispozícii rodinný preukaz na autobus?
(Yeh k dis-po-zee-tsee roh-din-ni preu-kaz nah ah-too-boos?)

908.   What's the fare for a child on the subway?
Aká je cena detskej cestovnej lístka na metro?
(Ah-kah yeh tseh-nah deht-skehj tseh-stov-nehj leest-ka nah meh-tro?)

909.   Are there any senior citizen discounts for tram tickets?
Existujú zľavy pre seniorov na tramvajové lístky?
(Eks-ees-too-yoo zhlav-y preh seh-nee-or-ov nah trahm-vah-yo-veh leest-kee?)

910.   Do I need to make a reservation for the express train?
Potrebujem si urobiť rezerváciu na rýchlik?
(Po-tre-boo-yem si oo-roh-beet reh-zer-vah-tsyoo nah reeh-kleek?)

911.   Can I upgrade to first class on this flight?
Môžem prejsť na prvú triedu na tomto lete?
(Moh-zhem preysht nah pr-voo tree-doo nah tom-toh leh-teh?)

912.   Are there any extra fees for luggage on this bus?
Sú na tomto autobuse nejaké extra poplatky za batožinu?
(Soo nah tom-toh ahv-too-boo-seh neh-yah-keh ek-stra pop-lah-kee zah bah-toh-zhee-noo?)

913.   I'd like to book a sleeper car for the overnight train.
Rád by som si rezervoval lôžkový vozeň na nočný vlak.
(Rahd bi som si reh-zer-vo-vahl luhzh-ko-vi vo-zen nah nohch-ni vlak.)

914.   What's the schedule for the next ferry to the island?
Aký je rozpis na ďalší trajekt na ostrov?
(Ah-ki yeh roh-zpees nah dyahl-shee trah-yekt nah os-trov?)

915. Are there any available seats on the evening bus to the beach?
Sú na večernom autobuse na pláž voľné miesta?
(Soo nah veh-chehr-nom ahv-too-boo-seh nah plahzh vol-neh myes-tah?)

916. Can I pay for my metro ticket with a mobile app?
Môžem zaplatiť za moju metrovú lístku mobilnou aplikáciou?
(Moh-zhem zah-plah-teet zah mo-yoo meh-tro-voo leest-koo mo-beel-noh ah-plee-kah-tsyoo?)

917. Is there a discount for purchasing tickets online?
Je zľava pri kúpe lístkov online?
(Yeh zhlav-ah pree koo-peh leest-kov on-line?)

918. How much is the parking fee at the train station?
Koľko je parkovné na železničnej stanici?
(Kohl-ko yeh par-kov-neh nah zheh-lez-neech-nej stah-nee-tsee?)

919. I'd like to reserve two seats for the next shuttle bus.
Rád by som si rezervoval dve miesta na ďalší kyvadlový autobus.
(Rahd bi som si reh-zer-vo-val dvhe myes-tah nah dyahl-shee kih-vah-dloh-vi ahv-too-boos.)

920. Do I need to validate my ticket before boarding the tram?
Musím si overiť lístok pred nástupom na tramvaj?
(Moo-seem si oh-veh-reet leest-ok prehd nahs-toop-om nah trahm-vai?)

921. Can I buy a monthly pass for the subway?
Môžem kúpiť mesačný predplatný lístok na metro?
(Moh-zhem koo-peet meh-sahch-ni prehd-plaht-ni leest-ok nah meh-tro?)

922.   Are there any group rates for the boat tour?
        Existujú skupinové ceny za výlet loďou?
        (Ex-ees-too-yoo skoo-pee-no-vay tseh-nee zah vee-let loh-dyoo?)

        Travel Story: While navigating the underground tunnels
        of Banská Štiavnica, a guide remarked, "Pod našimi
        nohami je iný svet," translating to "There's another world
        beneath our feet," revealing the historical depth of the
        mining town.

Arranging Travel

923.   I need to book a flight to Paris for next week.
        Potrebujem rezervovať let do Paríža na budúci týždeň.
        *(Po-treh-boo-yem reh-zer-vo-vat let doh Pa-ree-zha nah
        boo-doo-tsee tee-zh-den.)*

924.   What's the earliest departure time for the high-speed train?
        Aký je najskorší čas odchodu pre rýchlovlak?
        (Ah-kee yeh nai-skor-shee chas od-ho-doo preh reeh-khlo-vlak?)

925.   Can I change my bus ticket to a later time?
        Môžem zmeniť svoj autobusový lístok na neskorší čas?
        *(Moh-zhem zme-neet svoi ahv-too-boo-so-vi lee-stok nah
        neh-skor-shee chas?)*

926.   I'd like to rent a car for a week.
        Rád by som si prenajal auto na týždeň.
        (Rahd bi som si preh-nai-yahl ahv-toh nah tee-zh-den.)

927. Is there a direct flight to New York from here?
Existuje priamy let do New Yorku odtiaľto?
(Ex-ees-too-ye pree-ah-mi let doh New York-oo odt-yahl-toh?)

928. I need to cancel my reservation for the cruise.
Potrebujem zrušiť rezerváciu pre plavbu.
(Po-treh-boo-yem zroo-sheeat reh-zer-vah-tsyoo preh plav-boo.)

929. Can you help me find a reliable taxi service for airport transfers?
Môžete mi pomôcť nájsť spoľahlivú taxislužbu pre transfery na letisko?
(Moh-zheh-teh mee poh-moch nai-sht spoh-lah-lee-voo tak-see-sloozh-boo preh trans-fery nah leh-tees-ko?)

930. I'm interested in a guided tour of the city.
How can I arrange that?
Mám záujem o sprievodcovskú prehliadku mesta. Ako to môžem zariadiť?
(Mahm zah-oo-yem oh spree-evod-cov-skoo preh-lyad-koo meh-stah. Ah-ko toh moh-zhem zah-reea-deet?)

931. Do you have any information on overnight buses to the capital?
Máte nejaké informácie o nočných autobusoch do hlavného mesta?
(Mah-teh neh-yah-keh een-for-mah-tsyeh oh nohch-nee-hkh ahv-too-boo-sohkh doh hlav-nay-ho meh-stah?)

932. I'd like to purchase a travel insurance policy for my trip.
Chcel by som si kúpiť cestovné poistenie na moju cestu.
(Khtsel bi som si koo-peet tseh-stov-nyeh poh-ees-ten-yeh nah moh-yoo tseh-stoo.)

933. Can you recommend a good travel agency for vacation packages?
Môžete mi odporučiť dobrú cestovnú agentúru na dovolenkové balíky?
(Moh-zheh-teh mee od-poh-roo-cheet doh-broo tseh-stov-noo ah-gen-too-roo nah doh-voh-lehn-koh-veh bah-lee-kee?)

934. I need a seat on the evening ferry to the island.
Potrebujem miesto na večernom trajekte na ostrov.
(Poh-treh-boo-yem myes-toh nah veh-chehr-nom trah-yek-teh nah os-trov.)

935. How can I check the departure times for international flights?
Ako môžem skontrolovať časy odletov pre medzinárodné lety?
(Ah-koh moh-zhem skon-tro-loh-vaht chah-sy od-leh-tov preh mehd-zee-nah-rohd-neh leh-ty?)

936. Is there a shuttle service from the hotel to the train station?
Existuje kyvadlová služba z hotela na železničnú stanicu?
(Ex-ees-too-ye kih-va-dloh-vah sloozh-bah z hoh-teh-lah nah zheh-lez-neech-noo stah-nee-tsoo?)

937. I'd like to charter a private boat for a day trip.
Rád by som si prenajal súkromný čln na jednodňový výlet.
(Rahd bi som si preh-nah-yahl soo-krohm-nee chln nah yehd-noh-dnyo-vee vee-let.)

938. Can you assist me in booking a vacation rental apartment?
Môžete mi pomôcť s rezerváciou dovolenkovej bytovky?
(Moh-zheh-teh mee poh-mohtch s reh-zer-vah-tsee-ou doh-voh-lehn-koh-veh bih-tov-kee?)

939. I need to arrange transportation for a group of 20 people.
Potrebujem zabezpečiť dopravu pre skupinu 20 ľudí.
*(Poh-treh-boo-yem zah-behz-peh-cheet doh-prah-voo preh
skoo-pee-noo dvah-tseet lyoo-dee.)*

940. What's the best way to get from the airport to the city center?
**Aký je najlepší spôsob, ako sa dostať z letiska do centra
mesta?**
*(Ah-kee yeh nai-lehp-shee spoh-sohb, ah-koh sah dos-taht z
leh-tees-kah doh tsehn-trah meh-stah?)*

941. Can you help me find a pet-friendly accommodation option?
**Môžete mi pomôcť nájsť ubytovanie, ktoré je priateľské k
domácim zvieratám?**
*(Moh-zheh-teh mee poh-mohtch nai-sht oo-bi-toh-vah-nyeh,
ktoh-reh yeh pree-ah-tehl-skeh k doh-mah-cheem zvyeh-rah-
tahm?)*

942. I'd like to plan a road trip itinerary for a scenic drive.
**Chcel by som naplánovať itinerár cesty autom po malebnej
trase.**
*(Khtsel bi som nah-plah-noh-vaht ee-tee-neh-rar tseh-sty
ahv-tohm poh mah-leb-nyeh trah-seh.)*

"So psom sa ľahšie šteká."
"It's easier to bark with a dog."
*It's easier to do something when you have
support or when others are doing it too.*

Word Search Puzzle: Transport & Directions

CAR
AUTO
BUS
AUTOBUS
AIRPORT
LETISKO
SUBWAY
METRO
TAXI
TAXI
STREET
ULICA
MAP
MAPA
DIRECTION
SMER
TRAFFIC
PREVÁDZKA
PARKING
PARKOVANIE
PEDESTRIAN
CHODEC
HIGHWAY
DIAĽNICA
BRIDGE
MOST
TICKET
LÍSTOK

```
V A S W P S A T F C A Q E V B
O I M X F A I C H R P V G X R
X R L U U O R O I H M A D B U
A P J Í U U D K N N I P I X Y
W O L O S E L D O X Ľ L R B X
W R Q C C T A I A V A A B E I
B T J P A C O T C K A N I L J
D W Y I H U R K Z A P N Z D F
E T C N I O T D Z Y K C I Y S
J H O D V T Á O Q K M J O E R
F M U T J V U D B Q A R U M X
B K S A E Z Z G R U P I N B V
Q O Q R A L V A R B S M P R R
M O P Y A W H G I H A M E Q J
Z E V F K C B H L P I V D I D
M O P J H S B W A L Y X E A H
V R I J I T F T L N V P S O O
P A R K I N G R Y I V K T Q E
C A X V B U S L P A N U R G K
I H D W P H E I H D A H I I E
F H U B S T D X M Y V S A B H
F O I Q I I M A S C T R N V J
A R D S O R F T T I C K E T G
R Y K C K K C Y A W B U S M U
T O I Z Z F A H T R I S Q V S
W B O W Z O K C I S O D U A X
R Q V R S T R E E T O X Z H K
A Z H J T T G Z P C D G L K M
C R F L L E N O I T C E R I D
X W B S D I M R M K E Y P W Y
```

Correct Answers:

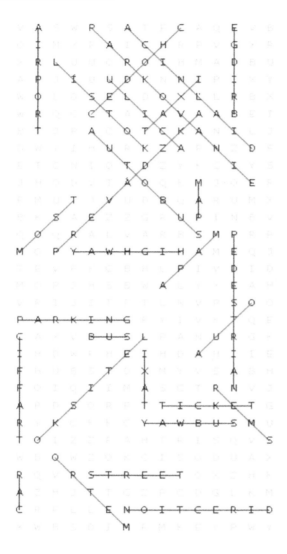

SPECIAL OCCASIONS

- EXPRESSING WELL WISHES AND CONGRATULATIONS -
- CELEBRATIONS AND CULTURAL EVENTS -
- GIVING AND RECEIVING GIFTS -

Expressing Well Wishes & Congratulations

943.   Congratulations on your graduation!
       Gratulujem k tvojej promócii!
       (Grah-too-loo-yem k tvoy-yey proh-moh-tsee!)

944.   Best wishes for a long and happy marriage.
       Najlepšie želania pre dlhé a šťastné manželstvo.
       (Nahy-lehp-shee-eh zheh-lah-nee-ah preh dlheh ah shtahs-neh mahn-zhel-stvoh.)

945.   Happy anniversary to a wonderful couple.
       Šťastné výročie úžasnému páru.
       (Shtahs-neh vee-roh-chee eh ooh-zahs-neh-moo pah-roo.)

946.   Wishing you a speedy recovery.
       Prajem ti rýchle uzdravenie.
       (Prah-yem tee ree-khleh ooz-drah-veh-nee-eh.)

947.   Congratulations on your new job!
       Gratulujem k novej práci!
       (Grah-too-loo-yem k noh-vey prah-tsee!)

       Cultural Insight: Easter in Slovakia includes unique
       customs such as dousing women with water and lightly
       whipping them with willow branches on Easter Monday,
       symbolizing youth and vitality.

948.   May your retirement be filled with joy and relaxation.
       Nech je tvoje dôchodkové obdobie plné radosti a relaxácie.
       (Nehkh yeh tvo-yeh doh-khod-koh-veh ob-doh-bee-eh plneh rah-dos-tee ah reh-lahk-sah-tsee-eh.)

949.   Best wishes on your engagement.
        Najlepšie želania k zasnúbeniu.
        (Nahy-lehp-shee-eh zheh-lah-nee-ah k zah-sn-oo-beh-nyoo.)

950.   Happy birthday! Have an amazing day.
        Šťastné narodeniny! Maj úžasný deň.
        (Shtahs-neh nah-roh-deh-nee-ny! Mai ooh-zahs-nee dyeh-ny.)

        Cultural Insight: The Goral people, living in the
        northern regions, maintain a distinct highlander culture,
        with unique traditions, music, and attire.

951.   Wishing you success in your new venture.
        Prajem ti úspech v tvojom novom podnikaní.
        (Prah-yem tee ooh-spehkh v tvo-yom no-vom pohd-nee-kah-nee.)

952.   Congratulations on your promotion!
        Gratulujem k povýšeniu!
        (Grah-too-loo-yem k poh-vy-sheh-nyoo!)

953.   Good luck on your exam—you've got this!
        Veľa šťastia na skúške—zvládneš to!
        (Veh-lah shtahs-tee-ah nah skoosh-keh—zvlahd-nehsh toh!)

954.   Best wishes for a safe journey.
        Najlepšie želania pre bezpečnú cestu.
        *(Nahy-lehp-shee-eh zheh-lah-nee-ah preh behz-peh-choo
        tseh-stoo.)*

955.   Happy retirement! Enjoy your newfound freedom.
        Šťastný dôchodok! Užívaj si novozískanú slobodu.
        *(Shtahs-nee doh-khoh-dok! Oo-zhee-vahy see noh-voh-zee-skah-
        noo slob-oh-doo.)*

956.   Congratulations on your new home.
        Gratulujem k novému domovu.
        (Gra-too-loo-yem k noh-vay-moo doh-mo-voo.)

957.   Wishing you a lifetime of love and happiness.
        Želám vám celoživotnú lásku a šťastie.
        (Zheh-lahm vahm tseh-loh-zhiv-ot-noo lah-skoo ah
        shtah-stee-eh.)

958.   Best wishes on your upcoming wedding.
        Najlepšie želania k blížiacej sa svadbe.
        (Nai-lehp-shee-eh zheh-lah-nee-ah k blee-zhee-ah-tsey sah
        svahd-beh.)

959.   Congratulations on the arrival of your baby.
        Gratulujem k príchodu vášho bábätka.
        (Gra-too-loo-yem k pree-khoh-doo vahsh-hoh bah-byet-kah.)

960.   Sending you warmest thoughts and prayers.
        Posielam vám najteplejšie myšlienky a modlitby.
        (Poh-see-eh-lahm vahm nai-tehp-lee-yeh mysh-lee-en-kee ah
        mohd-leet-bee.)

961.   Happy holidays and a joyful New Year!
        Veselé sviatky a šťastný Nový Rok!
        (Veh-seh-leh svi-ah-tkee ah shtah-stnee No-vee Rok!)

962.   Wishing you a wonderful and prosperous future.
        Želám vám nádhernú a úspešnú budúcnosť.
        (Zheh-lahm vahm nah-dhehr-noo ah ooh-speh-shnoo
        boo-dooch-nost.)

            Idiomatic Expression: "Otvoriť Pandorinu skrinku."
            Meaning: "To open a can of worms."
            (Literal translation: "To open Pandora's box.")

Celebrations & Cultural Events

963. I'm excited to attend the festival this weekend.
Teším sa na účasť na festivale tento víkend.
(Teh-sheem sah nah oo-chahst nah fehs-tee-vah-leh tehn-toh vee-kehnd.)

964. Let's celebrate this special occasion together.
Oslávme spoločne túto špeciálnu príležitosť.
(Ohs-lahv-meh spoh-loch-neh too-toh shpeh-tsyahl-noo pree-leh-zhi-tost.)

> **Fun Fact:** The Slovak alphabet has 46 characters, designed to represent its sounds more precisely.

965. The cultural parade was a vibrant and colorful experience.
Kultúrny sprievod bol živý a farebný zážitok.
(Kool-toor-nee spree-vod bol zhee-vee ah fah-reb-nee zah-zhih-tok.)

966. I look forward to the annual family reunion.
Teším sa na každoročné rodinné stretnutie.
(Teh-sheem sah nah kahzh-doh-roch-neh roh-deen-ne streh-tnoo-tee-eh.)

967. The fireworks display at the carnival was spectacular.
Ohňostroj na karnevale bol úchvatný.
(Oh-nyoh-stroy nah kar-neh-vah-leh bol ooh-khvah-tny.)

968. It's always a blast at the neighborhood block party.
Na štvrtkovej blokovej párty je vždy super.
(Nah shtvrt-koh-vey bloh-koh-vey pahr-tee yeh vzh-dee soo-pehr.)

969. Attending the local cultural fair is a tradition.
Účasť na lokálnom kultúrnom veľtrhu je tradícia.
(Oo-chahsť nah loh-kahl-nom kool-toor-nom vel-trhoo yeh trah-dee-tsee-ah.)

970. I'm thrilled to be part of the community celebration.
Som nadšený, že som súčasťou komunitného oslavy.
(Som nahd-sheh-nee, že som soo-chasť-ou koh-moo-nee-tne-ho oh-slav-ee.)

971. The music and dancing at the wedding were fantastic.
Hudba a tanec na svadbe boli fantastické.
(Hood-bah ah tah-nets nah svahd-beh boh-lee fahn-tah-stee-keh.)

972. Let's join the festivities at the holiday parade.
Pridajme sa k oslavám na sviatočnej parade.
(Pree-dime sah k oh-slah-vahm nah svee-ah-toch-nej pah-rah-deh.)

973. The cultural exchange event was enlightening.
Podujatie kultúrnej výmeny bolo poučné.
(Poh-doo-yah-tee kool-toor-nej veeh-meh-nee boh-loh poh-ooch-neh.)

974. The food at the international festival was delicious.
Jedlo na medzinárodnom festivale bolo chutné.
(Yed-loh nah med-zee-nah-rohd-nom fes-tee-vah-leh boh-loh khoot-neh.)

Idiomatic Expression: "Miešať jablká s hruškami."
Meaning: "To mix apples and oranges."
(Literal translation: "To mix apples with pears.")

975. I had a great time at the costume party.
Na maškarnom bále som sa mal výborne.
(Nah mahsh-kahr-nom bah-leh som sah mah vee-bor-neh.)

976. Let's toast to a memorable evening!
Pripite si na nezabudnuteľný večer!
(Pree-pee-teh see nah neh-zah-boo-dnoo-tehl-nih veh-chehr!)

977. The concert was a musical extravaganza.
Koncert bol hudobná extravagancia.
(Kohn-tsehrt bohl hood-ob-nah eks-trah-vah-gahn-tsee-ah.)

978. I'm looking forward to the art exhibition.
Teším sa na výstavu umenia.
(Teh-sheem sah nah vees-tah-voo oo-meh-nee-ah.)

979. The theater performance was outstanding.
Divadelné predstavenie bolo vynikajúce.
*(Dee-vah-del-neh prehd-stah-veh-nee-eh boh-loh
vee-nee-kah-yoo-tseh.)*

980. We should participate in the charity fundraiser.
Mali by sme sa zúčastniť na dobročinnej zbierke.
*(Mah-lee bee sme sah zoo-chahs-tnih nah doh-broh-cheen-neh
zbee-ehr-keh.)*

981. The sports tournament was thrilling to watch.
Športový turnaj bol vzrušujúci na sledovanie.
*(Schpor-toh-vee toor-nai bohl vzroo-shoo-yoo-tsee nah
sleh-doh-vah-nee-eh.)*

982. Let's embrace the local customs and traditions.
Objmime miestne zvyky a tradície.
(Ob-yee-mee-meh myest-neh zvee-kee ah trah-dee-tsee-eh.)

Giving and Receiving Gifts

983.   I hope you like this gift I got for you.
Dúfam, že sa ti páči tento darček, ktorý som ti kúpil.
(Doo-fahm, že sah tee pah-chee ten-toh dar-check, ktoh-rý som tee koo-peel.)

984.   Thank you for the thoughtful present!
Ďakujem za premyslený darček!
(Dyah-koo-yem zah preh-mys-leh-ný dar-check!)

985.   It's a token of my appreciation.
Je to znak mojej vďačnosti.
(Yeh toh zhnahk mo-yey vdač-nos-tee.)

986.   Here's a little something to brighten your day.
Tu je niečo malé, aby ti spríjemnilo deň.
(Too yeh nyeh-cho mah-leh, ah-bee tee spree-yem-nee-lo deň.)

987.   I brought you a souvenir from my trip.
Priniesol som ti suvenír z mojej cesty.
(Pree-nee-sohl som tee soo-veh-neer z mo-yey tseh-stee.)

988.   This gift is for you on your special day.
Tento darček je pre teba na tvoj špeciálny deň.
(Ten-toh dar-check yeh preh teh-bah nah tvoy shpeh-chyál-ny deň.)

989.   I got this with you in mind.
Kúpil som to s tebou na mysli.
(Koo-peel som toh s teh-boh-oo nah mis-lee.)

990. You shouldn't have, but I love it!
Nemal si, ale milujem to!
(Neh-mahl see, ah-leh mee-loo-yem toh!)

991. It's a small gesture of my gratitude.
Je to malé gesto mojej vďačnosti.
(Yeh toh mah-leh geh-sto mo-yey vdač-nos-tee.)

992. I wanted to give you a little surprise.
Chcel som ti dať malé prekvapenie.
(Khtsel som tee daht mah-leh preh-kvah-peh-nee-eh.)

993. I hope this gift brings you joy.
Dúfam, že tento darček ti prinesie radosť.
(Doo-fahm, že ten-toh dar-check tee pree-neh-see-eh rah-dosť.)

994. It's a symbol of our friendship.
Je to symbol nášho priateľstva.
(Yeh toh see-bohl nah-sho pree-ah-teľ-stvah.)

995. This is just a token of my love.
Je to len znak mojej lásky.
(Yeh toh len zhnahk mo-yey lá-skee.)

996. I knew you'd appreciate this.
Vedel som, že to oceníš.
(Veh-del som, že toh oh-tseh-neesh.)

997. I wanted to spoil you a bit.
Chcel som ťa trochu rozmaznať.
(Khtsel som chah troh-khoo rohz-mahz-naht.)

998. This gift is for your hard work.
Tento darček je za tvoju tvrdú prácu.
(Ten-toh dar-check yeh zah tvoy-yoo tvr-doo práh-tsoo.)

999. I hope you find this useful.
Dúfam, že toto ti bude užitočné.
(Doo-fahm, že toh-toh tee boo-deh oo-zhi-toch-neh.)

1000. It's a sign of my affection.
Je to znak mojej náklonnosti.
(Yeh toh zhnahk mo-yey náh-klon-nos-tee.)

1001. I brought you a little memento.
Priniesol som ti malú pamiatku.
(Pree-nee-sohl som tee mah-loo pah-myah-took-oo.)

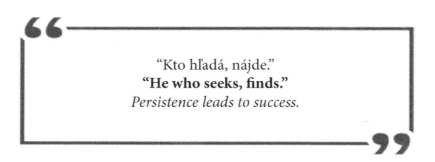

"Kto hľadá, nájde."
"He who seeks, finds."
Persistence leads to success.

Interactive Challenge: Special Occasions
(Link each English word with their corresponding meaning in Slovak)

1) Celebration	Svadba
2) Gift	Prekvapenie
3) Party	Dovolenka
4) Anniversary	Dar
5) Congratulations	Blahoželanie
6) Wedding	Oslava
7) Birthday	Párty
8) Graduation	Promócia
9) Holiday	Tradícia
10) Ceremony	Narodeniny
11) Tradition	Výročie
12) Festive	Ceremónia
13) Greeting	Sviatočný
14) Toast	Pozdrav
15) Surprise	Prípitok

Correct Answers:

1. Celebration - Oslava
2. Gift - Dar
3. Party - Párty
4. Anniversary - Výročie
5. Congratulations - Blahoželanie
6. Wedding - Svadba
7. Birthday - Narodeniny
8. Graduation - Promócia
9. Holiday - Dovolenka
10. Ceremony - Ceremónia
11. Tradition - Tradícia
12. Festive - Sviatočný
13. Greeting - Pozdrav
14. Toast - Prípitok
15. Surprise - Prekvapenie

CONCLUSION

Congratulations on completing "The Ultimate Slovak Phrase Book." As you set out to immerse yourself in the rich tapestry of Slovak culture, from the majestic Tatra Mountains to the historic charm of Bratislava, your commitment to mastering Slovak is commendable.

This phrase book has been your steadfast companion, providing you with essential phrases and expressions to navigate conversations smoothly. You've progressed from basic introductions like "Ahoj" and "Dobrý deň" to more complex interactions, preparing yourself for a variety of encounters, enriched experiences, and a deeper connection with Slovakia's heritage.

Embarking on the journey to language proficiency is a rewarding pursuit. Your efforts have built a solid foundation for fluency in Slovak. Remember, language is more than a means of communication—it's a bridge to comprehending the soul and ethos of a culture.

If this phrasebook has contributed to your language learning journey, I'd love to hear from you! Connect with me on Instagram: **@adriangruszka**. Share your stories, ask for advice, or simply drop a "Ahoj!" I'd be thrilled to see you mention this book on social media and tag me—I look forward to celebrating your achievements in mastering Slovak.

For further resources, detailed insights, and updates, please visit **www.adriangee.com**. There, you'll discover an abundance of information, including recommended courses and a community of language enthusiasts ready to support your continued learning journey.

Learning a new language unlocks new connections and viewpoints. Your passion for learning and adapting is your most significant asset on this linguistic adventure. Embrace every chance to learn, interact, and deepen your appreciation of Slovak culture and lifestyle.

Veľa šťastia! (Good luck!) Keep practicing with dedication, honing your skills, and most importantly, enjoying every moment of your Slovak language journey.

Ďakujem veľmi pekne! (Thank you very much!) for choosing this phrase book. May your future explorations be enriched with meaningful exchanges and achievements as you delve deeper into the intriguing world of languages!

- Adrian Gee